"Haykin nos oferece uma introdução agradável sobre os primeiros séculos da igreja cristã. Ele ilustra os principais elementos do ensino da igreja por referir-se à vida e aos ensinos de personagens proeminentes daquele tempo, a maioria dos quais é pouco conhecida pelos não especialistas. Pessoas comuns precisam saber destas coisas, e este livro é um excelente ponto de partida."

Gerald Bray, Professor de Teologia,
Beeson Divinity School

"Esta joia de estudo brilha com clareza intensa. Haykin escavou habilmente tesouros profundos entre os primeiros líderes da igreja. Como um guia experiente, ele faz uso de sua jornada pessoal e décadas de pesquisa erudita. Apresenta discernimentos patrísticos valiosos sobre o engajamento apologético, a obra missional, a formação espiritual, o uso das Escrituras, o discurso teológico, a adoração coletiva, a piedade pessoal e atitudes no sofrimento e no martírio. Dos pais apostólicos ao apóstolo da Irlanda, a investigação de Haykin aplica inteligentemente sabedoria clássica a preocupações contemporâneas".

Paul Hartog, Professor Associado,
Faith Baptist Theological Seminary

"Nesta introdução, Michael Haykin, um eminente erudito evangélico, abre as portas das riquezas do cristianismo dos primeiros séculos em um manual esplendidamente conciso. Os evangélicos, que estão experimentando um renascimento do interesse nos Pais, precisam ler não mais do que esta obra se desejam uma apresentação de vários dos personagens mais importantes na história da igreja. Os leitores ficarão com o desejo de aprender mais. Os evangélicos estão em dívida para com Haykin por este livro bem escrito."

Steve A. McKinion, Professor de Teologia e Patrística,
Southeastern Baptist Theological Seminary,

Michael A. G. Haykin

Redescobrindo os Pais da Igreja
Quem eles eram e como moldaram a igreja

FIEL
Editora

Dados Internacionais de Catalogação na Publicação (CIP)
(Câmara Brasileira do Livro, SP, Brasil)

Haykin, Michael A. G.
  Redescobrindo os Pais da Igreja : quem eles eram e como moldaram a Igreja. / Michael A. G. Haykin ; [tradução Francisco Wellington Ferreira]. -- São José dos Campos, SP : Editora Fiel, 2012.

  Título original: Rediscovering the church fathers: who they were and how they shaped the church.
  ISBN 978-85-8132-25-0

  1. História eclesiástica - Igreja primitiva, ca. 30-600 2. Padres da Igreja I. Título.

12-08106   CDD-270.1

  Índices para catálogo sistemático:
1. Padres da Igreja : Cristianismo : História
  270.1

Redescobrindo os Pais da Igreja – *Quem eles eram e como moldaram a igreja*
Traduzido do original em inglês
Rediscovering the Church Fathers: Who They Were and How They Shaped the Church
por Michael A. G. Haykin
Copyright © 2011 by Crossway Books

∎

Publicado por Crossway Books,
Um ministério de publicações de Good News Publishers. 1300 Crescent Street
Wheaton, Illinois 60187, U.S.A

Copyright©2011 Editora FIEL.
1ª Edição em Português: 2012

Todos os direitos em língua portuguesa reservados por
Editora Fiel da Missão Evangélica Literária

Proibida a reprodução deste livro por quaisquer meios, sem a permissão escrita dos editores, salvo em breves citações, com indicação da fonte.

∎

Diretor: Tiago J. Santos Filho
Editor: Tiago J. Santos Filho
Tradução: Francisco Wellington Ferreira
Revisão: Wilson Porte Júnior
Diagramação: Rubner Durais
Capa: Rubner Durais

ISBN: 978-85-8132-025-0

FIEL Editora

Caixa Postal, 1601
CEP 12230-971
São José dos Campos-SP
PABX.: (12) 3919-9999
www.editorafiel.com.br

SUMÁRIO

1 | Redescobrindo os Pais da Igreja: uma necessidade vital
para os evangélicos 11

2 | Morrendo por Cristo: o pensamento de Inácio de Antioquia 33

3 | Compartilhando a verdade: a *Epístola a Diogneto* 55

4 | Interpretando as Escrituras: a exegese de Orígenes 79

5 | Sendo beijado: a piedade eucarística de Cipriano e de Ambrósio 105

6 | Sendo santo e renunciando o mundo: a experiência de
Basílio de Cesareia 119

7 | Salvando os irlandeses: a missão de Patrício 151

8 | Andando com os Pais da Igreja: meus primeiros passos
em uma jornada vitalícia 173

Apêndice 1: Lendo os Pais: um guia para iniciantes 185

Apêndice 2: Reflexões sobre Jaroslav Pelikan,
O Emergir da Tradição Católica (100-600) *189*

A

R. Albert Mohler Jr.
Russel D. Moore
Bruce A. Ware
Donald S. Whitney
Gregory A. Wills

— Irmãos, que, por meio de seus diferentes papéis de liderança,
me deram o bendito privilégio de ensinar os pais da igreja aos colegas batistas
no *Southern Baptist Theological Seminary*.

*Não pode haver teologia sã
sem um bom conhecimento dos Pais.*
EDWARD T. OAKES

*Se eu tivesse meu tempo de novo,
estudaria patrística e não Reforma.*
CARL TRUEMAN

CAPÍTULO 1

REDESCOBRINDO OS PAIS DA IGREJA

Uma Necessidade Vital para os Evangélicos

Todo escriba versado no reino dos céus é semelhante a um pai de família que tira do seu depósito coisas novas e coisas velhas.
MATEUS 13.52

Poucos anos depois de ter concluído meus estudos de doutorado em exegese e pneumatologia do século IV e ter começado a ensinar no *Central Baptist Seminary*, em Toronto, cheguei à compreensão de que teria de desenvolver outra área de especialização, visto que bem poucas das igrejas batistas com as quais tive contato estavam interessadas em homens como Atanásio (c. 299-373) e Basílio de Cesareia (c. 330-379). Mais tarde, quando já tinha desenvolvido um forte interesse em batistas britânicos e dissidentes do "longo" século XVIII, tornei-me consciente de que, enquanto uma dieta desta segunda área de estudo era aceitável para audiências evangélicas, uma nuvem de suspeita pairava sobre todo o campo de estudo do mundo antigo.

A verdade da questão é que muitos evangélicos contemporâneos desconhecem ou se sentem incomodados com os pais da igreja. Sem dúvida, anos de menosprezo da tradição e de luta contra o catolicismo romano e a ortodoxia ocidental, com seus "santos" da igreja antiga, têm contribuído, em parte, para este cenário de ignorância e incômodo. Além disso, certas tendências de fundamentalismo anti-intelectual têm desencorajado o interesse nesse "mundo distante" da história da igreja. E a esquisitice de muito daquela época da igreja antiga se tornou uma barreira para alguns evangélicos em sua leitura sobre os primeiros séculos da igreja. Finalmente, um desejo intenso de ser uma "pessoa do Livro" – um desejo eminentemente digno – tem levado, também, a uma falta de interesse em outros estudantes das Escrituras que viveram naquele primeiro período da história da igreja depois da era apostólica. Charles Haddon Spurgeon (1834-1892) – que certamente não poderia ser acusado de elevar a tradição ao nível, ou acima, das Escrituras – disse muito bem: "Parece estranho que certos homens que falam tanto sobre o que o Espírito Santo lhes revela pensem tão pouco no que ele revelou a outros".[1]

INTERESSE PASSADO NOS PAIS DA IGREJA

Felizmente, isto está começando a mudar.[2] Nós, que somos evangélicos, estamos começando a compreender novamente que o evangelicalismo é, como disse acertadamente Timothy George, "um movimento de renovação dentro do cristianismo histórico ortodoxo".[3] Começamos a redescobrir aquilo que muitos de

---

1 *Commenting and Commentaries* (London: Passmore & Alabaster, 1876), 1. Cf. as observações semelhantes de J. I. Packer: "Tradição... é o fruto da atividade de ensino do Espírito, no passado, quando o povo de Deus procurou o entendimento das Escrituras. Não é infalível, mas não é desprezível, e empobrecemos a nós mesmos quando a desprezamos". "Upholding the Unity of Scripture Today", em *Journal of the Evangelical Theological Society* 25 (1982): 414.

2 Sem concordar necessariamente com tudo que é dito nas seguintes obras, ver, por exemplo, James S. Cutsinger, ed., *Reclaiming the Great Tradition: Evangelicals, Catholics and Orthodox in Dialogue* (Downers Grove, IL: InterVarsit, 1997); D. H. Williams, *Retrieving the Tradition and Renewing Evangelicalism: A Primer for Suspicious Protestants* (Grand Rapids: Eerdmans, 1999); Stephen Holmes, *Listening to the Past: the Place of Tradition in Theology* (Grand Rapids: Eerdmans, 2002); D. H. Williams, *Evangelicals and Tradition: The Formative Influence of the Early Church* (Grand Rapids: Baker, 2005); Paul A. Hartog, ed., *The Contemporary Church and the Early Church: Case Studies in Resourcement* (Eugene, OR: Pickwick Papers, 2010).

3 Apoio em Williams, *Evangelicals and Tradition*, 1.

nossos antepassados evangélicos e reformados sabiam e valorizavam – as pérolas do mundo antigo. O reformador francês João Calvino (1509-1564), por exemplo, era um estudante ávido dos pais da igreja. Ele nem sempre concordava com eles, nem mesmo com seus favoritos, como Agostinho de Hipona (354-430). Todavia, ele tinha profunda consciência do valor de conhecer o pensamento deles e de usar as riquezas dos escritos deles para elucidar a fé cristã em seus próprios dias.[4]

No século seguinte, o teólogo puritano John Owen (1616-1683), chamado corretamente, por muitos, de o "Calvino da Inglaterra",[5] não demorou a usar a experiência de alguém que ele chamou de "santo Austin", quer dizer, Agostinho, para lhe servir como um tipo da conversão.[6] Também, o batista calvinista John Gill (1697-1771) cumpriu um papel importante em preservar o trinitarianismo entre seus colegas batistas num tempo em que outros grupos protestantes – por exemplo, os presbiterianos ingleses, os batistas gerais e grandes áreas do anglicanismo – eram incapazes de reter uma compreensão firme sobre esta doutrina vital, totalmente bíblica e patrística. O tratado *The Doctrine of the Trinity Stated and Vindicated* (A Doutrina da Trindade Afirmada e Vindicada),[7] de John Gill, era uma defesa eficiente do fato de que há "somente um Deus; há uma pluralidade na Divindade; há três pessoas divinas na Trindade; o Pai é Deus, o Filho é Deus, e o Espírito Santo é Deus; essas três

---

4 Ver Antony N. S. Lane, *John Calvin: Student of the Church Fathers* (Grand Rapids: Baker, 1999). Por exemplo, quanto à opinião de Calvino sobre Basílio de Cesareia, ver D. F. Wright, "Basil the Great in the Protestant Reformers", em *Studia Patristica*, ed. Elizabeth A. Livingstone (Oxford: Pergamon, 1982), 17/3:1149-50. Quanto a uma apreciação mais geral dos Pais por parte dos reformadores, ver Geoffrey W. Bromiley, "The Promise of Patristic Studies", em David F. Wells e Clark H. Pinnock, eds., *Toward a Theology for the Future* (Carol Stream, IL: Creation House, 1971), 125-27. O mesmo assunto foi abordado por Ligon Duncan, "Did the Fathers Know the Gospel?", Together for the Gospel Conference, Louisville, Kentucky, April 15, 2010, acessado em 19 de julho de 2010, http://vimeo.com/10959890. Enquanto escrevo isto, minha atenção é atraída a uma resposta católico-romana, apresentada por Bryan Cross, à palestra de Duncan, "Ligon Duncan's 'Did the Fathers Know the Gospel?'", *Called to Communion: Reformation Meets Rome*, publicada no blog em 17 de julho de 2010. Das numerosas respostas a esta resposta de Bryan Cross, torna-se evidente que o estudo dos pais da igreja é uma área de grande interesse hoje e um empreendimento necessário para os evangélicos. Sou grato ao Dr. Roger Duke por atrair minha atenção a esta resposta.

5 Allen C. Guelzo, "John Owen, Puritan Pacesetter", *Christianity Today*, May 21, 1976, 14.

6 Ver *Pneumatologia: A Discourse Concerning the Holy Spirit*, vol. 3 de *The Works of John Owen*, ed. William H. Goold (repr. Edinburgh: Banner of Truth, 1965), 337-66.

7 *The Doctrine of the Trinity Stated and Vindicated*, 2nd. ed. (London: G. Keith and J. Robinson, 1752). A essência deste tratado foi incorporado à obra *A Body of Divinity* (London, 1769), de John Gill, que se tornou o principal livro de teologia para muitos pastores batistas tanto nos Estados Unidos como na Inglaterra.

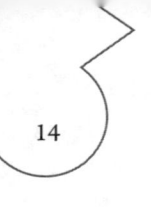

pessoas são distintas em personalidade, idênticas em substância, iguais em poder e glória".⁸ Todavia, um exame casual deste tratado revela, imediatamente, que Gill era devedor ao pensamento e a exegese patrística, porque ele citou autores como Justino Mártir (morreu cerca de 165), Tertuliano (influente em 190-220) e Teófilo de Antioquia (influente em 170-180).

Um exemplo final da apreciação dos pais por evangélicos do passado deve ser suficiente. John Sutcliff (1752-1814), um batista inglês da segunda metade do século XVIII, foi tão impressionado pela *Epístola a Diogneto*, a qual ele supunha erroneamente ter sido escrita por Justino Mártir, que a traduziu para a revista *The Biblical Magazine*, uma publicação calvinista de pequena circulação. Ele a enviou para o editor deste periódico com o elogio de que esta obra do século II era "uma das mais valiosas peças de antiguidade eclesiástica".⁹

QUEM SÃO OS PAIS DA IGREJA?

Em um verbete sobre "patrística", no Dicionário da Igreja Cristã de Oxford, uma obra de referência padrão sobre o cristianismo, os pais da igreja são descritos como aqueles autores que "escreveram entre o final do século I... e o final do século VIII"; e isso abrange o que é chamado de "Era Patrística". Estes autores, prossegue a verbete,

> defenderam o evangelho de heresias e enganos; eles apresentaram comentários abrangentes sobre a Bíblia, explicativos, doutrinários e práticos, e publicaram inúmeros sermões, principalmente sobre o mesmo assunto; exibiram o significado e as implicações dos credos; registraram acontecimentos passados e presentes na história da igreja; e relacionaram a fé cristã com o melhor pensamento de sua própria época.¹⁰

---

8 Gill, *Doctrine of Trinity*, 166-67.
9 *The Biblical Magazine*, 2 (1802), 42-48. A citação é da página 41. Quanto a esta epístola, ver capítulo 3.
10 "Patristics", em L. F. Cross e E. A. Livingstone, eds., *The Oxford Dictionary of the Christian Church*, 3rd ed. (Oxford: Oxford University Press, 1997), 1233.

Outra importante obra de referência que trata da história e da teologia do cristianismo, *Christianity: The Complete Guide* (Cristianismo: O Guia Completo) diz que, embora não haja uma lista oficial dos pais, há pelo menos quatro características que denotam aqueles que merecem o título de pai da igreja: sua ortodoxia de doutrina, serem aceitos pela igreja como elos importantes de transmissão da fé cristã, sua santidade de vida e terem vivido entre o final da era apostólica (c. 100) e as mortes de João de Damasco (c. 655/675-c. 749), no Oriente, e Isidoro de Sevilha (c. 560-636), no Ocidente.[11]

Estudo recente dos pais, o artigo prossegue dizendo, tende a ampliar a categoria de pai da igreja para incluir algumas figuras da igreja antiga vistas com suspeita – ou seja, pessoas como Tertuliano e Orígenes (c. 185-254). Este artigo também comenta que, devido ao surgimento da historiografia feminista, a erudição desta época está agora disposta a falar sobre mães da igreja ("matrística"). Não há dúvida de que preocupações feministas têm ressaltado a maneira como a história da igreja tem sido ensinada com base numa perspectiva exclusivamente masculina. Mas o problema desta categoria de "matrística" é que há poucas mulheres da igreja antiga que podem ser estudadas com profundidade semelhante ao estudo dos pais, visto que deixaram poucos remanescentes textuais.[12] No capítulo seguinte, comento brevemente o papel desempenhado por Víbia Perpétua (morta em 202) e Macrina (c. 327-c. 379). Todavia, embora eu gostaria de ter mais detalhes sobre estas mulheres fascinantes, qualquer análise delas é restringido por limitações textuais significativas.

LENDO OS PAIS DA IGREJA POR LIBERDADE E SABEDORIA[13]

Por que os cristãos evangélicos deveriam procurar conhecer o pensamento e a experiência destas testemunhas cristãs antigas? Primeiramente, o

---

11 "Church fathers", em John Bowden, ed., *Christianity: The Complete Guide* (Toronto: Novallis, 2005), 243-44.

12 Ibid., 244. Ver Patricia Cox Miller, *Women in Early Christianity: Translations from Greek Texts* (Washington DC: The Catholic University of America Press, 2005).

13 Uma versão mais antiga dos poucos parágrafos seguintes apareceu antes como "Why Study the Fathers?", *Eusebeia: The Bulletin of the Andrew Fuller Center for Baptist Studies* 8 (Fall 2007): 3-7. Usado com permissão.

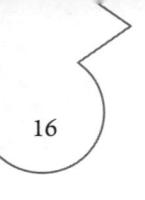

estudo dos pais, como qualquer estudo histórico, nos liberta do presente.[14] Cada época tem sua própria perspectiva, pressuposições que permanecem não questionadas até pelos oponentes. O exame de outra época de pensamento nos força a confrontar nossos preconceitos naturais, que, de outro modo, ficariam despercebidos. Como observou acertadamente Carl Trueman, um teólogo histórico contemporâneo:

> A própria natureza estranha do mundo em que os Pais viveram nos força a pensar mais criticamente sobre nós mesmos em nosso contexto. Por exemplo, não podemos simpatizar muito com o ascetismo monástico; mas, quando o entendemos como uma resposta do século IV à velha pergunta de como devia ser um cristão comprometido numa época em que ser cristão começava a ser fácil e respeitável, podemos, pelo menos, usá-lo como uma bigorna na qual podemos forjar nossa resposta contemporânea a essa mesma pergunta.[15]

Por exemplo, Gustaf Aulén, em seu estudo clássico sobre a expiação, *Christus Victor*, argumenta que um estudo objetivo de Patrística revela um tema que tem recebido pouca atenção no cristianismo posterior à Reforma: a ideia da expiação como um conflito e vitória divino em que Cristo luta e vence os poderes malignos, aos quais o mundo está em servidão. De acordo com Aulén, o que é comumente aceito como a doutrina de expiação do Novo Testamento, a teoria forense de satisfação divina, pode ser, na verdade, um conceito bastante estranho ao Novo Testamento. Se este argumento está certo ou não – acho que ele está bem errado – isso pode ser determinado somente por um novo exame das fontes, tanto o Novo Testamento como a Patrística.

Em segundo, os pais podem nos prover um mapa para a vida cristã. É realmente estimulante ficar na costa leste dos Estados Unidos, contemplar a

---

14 C. S. Lewis, "De descriptione temporum", em Lewis, *Selected Literary Essays*, ed. Walter Hooper (Cambridge: Cambridge University Press, 1969), 12.
15 "The Fathers", blog *Reformation 21*, 30 de abril de 2007, acessado em 23 de julho de 2010, http://www.reformation21.org/blog/2007/04/the-fathers.php.

arrebentação do Atlântico, ouvir o barulho das ondas e, estando bastante perto, sentir o borrifo salgado. Todavia, esta experiência será de pouco proveito ao se navegar para Irlanda ou para as Ilhas Britânicas. Pois, neste caso, um mapa é necessário – um mapa baseado na experiência acumulada de milhares de navegadores. Semelhantemente, precisamos desse tipo de mapa para a vida cristã. Experiências são proveitosas e boas, mas elas não servem como um fundamento apropriado para nossa vida em Cristo. Sendo exato, temos as Escrituras divinas, um fundamento imprescindível e suficiente para todas as nossas necessidades como cristãos (2Tm 3.16-17). Contudo, o pensamento dos pais pode nos ajudar enormemente em edificarmos sobre este fundamento.

Um ótimo exemplo se acha na pneumatologia de Atanásio, em suas cartas a Serapião, bispo de Thmuis. Os dias atuais têm visto um ressurgimento do interesse na pessoa do Espírito Santo. Isto é admirável, mas também carregado de perigo, se o Espírito Santo é entendido à parte de Cristo. Entretanto, o discernimento perspicaz de Atanásio era que "Através de nosso conhecimento do Filho podemos ter um verdadeiro conhecimento do Espírito".[16] O Espírito não pode ser divorciado do Filho. O Filho envia e dá o Espírito, mas o Espírito é o princípio da vida de Cristo em nós. Muitos têm caído em entusiasmo fanático porque não compreendem esta verdade básica: o Espírito não pode ser separado do Filho.

Ou considere a baliza colocada no panorama da história da igreja pelo Credo Niceno-Constantinopolitano, chamado comumente de Credo Niceno.[17] Este documento, embora não seja infalível, de modo algum, é um guia seguro para a doutrina bíblica de Deus. Ele nunca deve ser rejeitado como algo que não tem valor. Fazer isso mostra uma evidente falta de sabedoria e discernimento. Lembro distintamente uma conversa que tive no início dos anos 1990 com um administrador de uma instituição acadêmica com a qual eu estava associado. Durante a conversa, surgiu o assunto do Credo Niceno, e este homem observou, com educação, que não havia meios de ele se prender a um documento feito por

---

16 *Letter to Serapion* 3.5.
17 Quanto a mais detalhes deste documento, ver capítulo 6.

homens, como este credo. Falando com sinceridade, fiquei horrorizado com sua atitude de rejeição e considerei, e ainda considero, tal afirmação como o cúmulo da tolice e o caminho certo para o desastre teológico.

LENDO OS PAIS DA IGREJA PARA ENTENDER O NOVO TESTAMENTO

Em terceiro, os pais podem, também, em alguns casos, ajudar-nos a entender o Novo Testamento. Temos mantido uma opinião tão depreciativa da exegese patrística, que chegamos a considerar a exposição bíblica dos pais como um fracasso em entender o Novo Testamento.[18] Por exemplo, Cirilo de Jerusalém (c. 315-387), em sua interpretação de 1 Coríntios 7.5, que se refere à abstinência temporária de relações sexuais entre os cônjuges em favor da oração, admite, sem questionar, que a oração é litúrgica e comunal.[19] Cirilo talvez seja culpado de anacronismo, pois ele era um líder "na santificação do tempo", ou seja, a observância dos tempos santos. No entanto, há boa evidência de que esses tempos comunais de oração eram, de uma forma ou de outra, bem antigos. A vida litúrgica da igreja de Jerusalém no século IV não era a mesma da igreja de Corinto no século I, mas, apesar disso, havia ligações. Talvez sejam os comentadores protestantes que são culpados de anacronismo quando admitem que Paulo se referia à oração particular. Esse individualismo religioso é mais concebível no protestantismo ocidental do que na Corinto do século I.

Outra vez, na discussão recente da doutrina de salvação exposta por Paulo, os proponentes da Nova Perspectiva têm afirmado que a opinião reformada clássica sobre a justificação tem pouco fundamento em Paulo ou no resto do Novo Testamento. Dizem que ela é mais um produto do pensamento de Martinho Lutero (1483-1546) e de João Calvino. Todavia, na *Epístola a Diogneto*, no século II, à qual já nos referimos, achamos o seguinte argumento, que parece extraído diretamente das páginas de Lutero. O autor estava argumentando que

---

18 Quanto a um estudo da exegese patrística em Orígenes, ver capítulo 4.
19 *Catechesis* 4.25.

Deus não revelava seu plano de salvação a ninguém, exceto ao seu "Filho amado", até que os seres humanos compreendessem sua total e plena incapacidade de ganhar o céu por seu próprio esforço. Depois, quando os homens ficavam conscientes de seu pecado e do juízo iminente, Deus enviava seu Filho, que tinha um caráter totalmente puro, para morrer no lugar da humanidade, que é habitada por depravação radical.[20] O que é expresso nestas palavras está de pleno acordo com a opinião reformada clássica sobre o significado da morte de Cristo em favor de nossa salvação. Como F. S. Torrance observou em sentido geral:

> [Há uma] coerência fundamental entre a fé do Novo Testamento e a fé da igreja primitiva... A falha em discernir esta coerência em alguns segmentos tem evidentemente suas raízes no estranho abismo, imposto por métodos analíticos, entre a fé da igreja primitiva e o Jesus histórico. Em qualquer caso, tenho sempre achado difícil crer que nós, eruditos modernos, entendemos o grego do Novo Testamento melhor do que os Pais gregos primitivos![21]

LENDO OS PAIS DA IGREJA POR CAUSA DA MÁ PUBLICIDADE SOBRE ELES

Também precisamos ler e conhecer os pais porque eles são, às vezes, submetidos a má história ou a má publicidade. Por exemplo, no best-seller *O Código Da Vinci*, escrito por Dan Brown, o herói, Robert Langdon, "descobre" que as expressões contemporâneas do cristianismo, especialmente as da Igreja Católica Romana, não têm uma base histórica correta.[22] De acordo com o livro de Brown, foi somente no início do século IV, sob o reinado do imperador Constantino (c. 272-337), que a Bíblia, em particular o Novo Testamento, foi reunida. Foi Constantino quem determinou a compilação do Novo Testa-

---

20 Quanto a uma discussão mais detalhada, ver capítulo 3.
21 *Space, Time and Resurrection* (Grand Rapids: Eerdmans, 1976), xii.
22 Gene Edward Veith, "The Da Vinci Phenomenon", *World*, May 20, 2006, 20-21. A edição do livro citada aqui e nas notas posteriores é *The Da Vinci Code* (New York: Anchor Books, 2006).

mento, como o conhecemos, para suprimir uma visão alternativa sobre Jesus apenas como um profeta humano.[23] O livro expressa a opinião de que no Concílio de Niceia, no século IV (em 325), que foi manipulado astutamente por Constantino, ávido por poder, para atingir seus próprios objetivos, Jesus Cristo foi "transformado... em uma divindade" e se tornou, pela primeira vez, um objeto de adoração. O status divino de Jesus foi ratificado por uma "votação relativamente apertada" neste concílio.[24] Ambos os eventos aconteceram para ocultar o fato de Jesus era realmente casado com Maria Madalena,[25] teve um filho com ela[26] e pretendia que ela fosse a fundadora da igreja.[27] Os principais ensinos cristãos são, portanto, o resultado de um movimento de poder por Constantino e outros homens para esmagar uma mulher. Como Brown fez um de seus personagens dizer: "Tudo foi uma questão de poder".[28]

Brown tenciona, evidentemente, que essas afirmações sejam mais do que aspectos-chave do contexto de conspiração do seu livro. Como Greg Clark, diretor do *Centre for Apologetic Scholarship na New College*, da *University of New South Wales*, observa acertadamente, o livro de Dan Brown tem "intenções evangelísticas" e "o propósito de mudar nossas vidas".[29] R. Albert Mohler, presidente do *Southern Baptist Theological Seminary*, vê o livro como um ataque não muito sutil às verdades centrais do cristianismo bíblico.[30] Visto que Brown faz referências claras à era patrística para apoiar sua teoria, é necessário que qualquer resposta envolva o conhecimento exato do que realmente aconteceu em Niceia e do que a igreja dos séculos II e III acreditava sobre Jesus.

Não somente Brown está profundamente enganado sobre o Concílio de Niceia, no qual a decisão de aceitar o Credo Niceno foi terrivelmente a

---

23 *Da Vinci Code*, 231-32.
24 Ibid., 233-35.
25 Ibid., 244-47.
26 Ibid., 255-56.
27 Ibid., 248-49, 254.
28 Ibid., 233.
29 *Is it Worth Believing? The Spiritual Challenge of the Da Vinci Code* (Kingsford, New South Wales: Matthias Media, 2005), 25
30 "Historical Propaganda", *Tabletalk*, May 2006, 12. Este exemplar de *Tabletalk* é intitulado "The Da Vinci Hoax" e contém cinco artigos dedicados a examinar o livro de Brown.

favor dele, mas também a igreja nos séculos II e III tinha uma cristologia bastante elevada, na qual Jesus era adorado como Deus.[31] Um bom exemplo é Melito de Sardes (morreu cerca de 190), pregador no século II. Os contemporâneos achavam que Melito tinha uma vida notável por sua espiritualidade, embora as informações sobre sua carreira sejam escassas. De seus 16 escritos cujos títulos são conhecidos, existe somente um escrito completo, o sermão *The Homily of Passion* (A Homília da Paixão). Do restante, existem apenas fragmentos.[32] Neste sermão, Melito, falando sobre a falha de Israel em reconhecer quem Cristo era, diz:

> Vós não viste a Deus.
> Não percebeste, ó Israel, o Senhor.
> Não reconheceste o primogênito de Deus.
> Gerado antes da estrela da manhã,
> Que adornou a luz,
> Que iluminou o dia,
> Que dividiu as trevas,
> Que fixou o primeiro limite,
> Que pendurou a terra,
> Que subjugou o abismo,
> Que estendeu o firmamento,
> Que encheu o mundo,
> Que dispôs as estrelas nos céus,
> Que acendeu os grandes luminares,
> Que fez os anjos no céu,
> Que ali estabeleceu tronos,
> Que formou a humanidade na terra.[33]

---

31 Quanto à cristologia de Inácio de Antioquia e à *Epístola a Diogneto*, ver capítulos 2 e 3. Isto também é argumentado por Duncan, "Did the Fathers Know the Gospel?"

32 Quanto a estes escritos, ver *Melito de Sardis: On Pascha and Fragmens*, trad. Stuart G. Hall (Oxford: Clarendon, 1979), 63-79.

33 *Homily on the Passion* 82, em *Melito of Sardis: On Pascha*, trad. Alistair Stewart-Sykes (Crestwood, NY: St Vladimir's Seminary Press, 2001), 60.

Vemos aqui um eco da soberania de Cristo sobre a criação, o que, por implicação, é uma celebração de sua divindade. Pouco depois, no sermão, Melito explora o paradoxo da cruz e termina com uma confissão franca da deidade de Cristo:

> Aquele que pendurou a terra foi pendurado.
> Aquele que fixou os céus no lugar foi fixado no lugar.
> Aquele que deitou as bases do universo foi deitado numa árvore.
> O Senhor foi profanado.
> Deus foi assassinado.[34]

Como Bart Ehrman, ele mesmo amigo do cristianismo ortodoxo, diz em resposta a Dan Brown: "Eruditos que estudam a história do cristianismo, acharão bizarro ouvir alguém [Brown] afirmar que, antes do Concílio de Niceia, os cristãos não consideravam Jesus como sendo divino".[35] Assim, quando a afirmação do credo formulada em Niceia declarava sua crença na divindade de Jesus, ela apenas afirmava aquilo que já era a convicção central da igreja entre a era dos apóstolos e o tempo do próprio concílio.

LENDO OS PAIS DA IGREJA COMO UMA AJUDA NA DEFESA DA FÉ

Os primeiros séculos da igreja viram o cristianismo ameaçado por diversas heresias teológicas: gnosticismo, arianismo e pelagianismo, citando apenas três. Enquanto a história nunca se repete com exatidão, a essência de muitas das heresias tem se repetido de tempos em tempos na longa história do cristianismo. Por exemplo, o interesse da pós-modernidade em espiritualidade, embora seja contra o cristianismo, tem inúmeras semelhanças com a

---

34 *Homily on the Passion* 96, in Stewart-Sykes, *Melito of Sardis*, 64. Quanto a uma discussão da cristologia de Melito, ver p. 28-29 dessa obra.

35 Bart D. Ehrman, *Truth and Fiction in The Da Vinci Code: A Historian Reveals What We Really Know about Jesus, Mary Magdalene, and Constantine* (Oxford: Oxford University Press, 2004), 15.

extensa batalha contra o gnosticismo que ocupou a igreja durante os séculos II e III. O conhecimento da maneira como os cristãos defenderam, no passado, a fé contra o gnosticismo proveria hoje maneiras proveitosas de respondermos à espiritualidade pós-moderna.[36]

Ou, o que poderíamos dizer sobre o desafio, um dos maiores de nossos dias, apresentados pelo ataque do islamismo à Trindade e à deidade do Senhor Jesus Cristo?[37] Falando de modo geral, os evangélicos estão horrivelmente despreparados em sua habilidade de responder a esse ataque, pois eles raramente ouvem sermões sobre a Trindade e a encarnação. Neste assunto, os Pais podem nos ajudar enormemente, pois, em resposta ao arianos e, posteriormente, aos muçulmanos, eles formularam os detalhes bíblicos destas duas doutrinas cruciais. Considere a maneira como o teólogo João de Damasco, também conhecido como João Damasceno ou Yanah ibn Masur, um cristão instruído nas Escrituras, respondeu ao islamismo durante o primeiro período da expansão islâmica.[38] Em um pequeno livro defendendo a fé e a cosmovisão do islamismo, Rana Kabanni identifica João Damasceno como "o progenitor de uma longa tradição de zombaria cristã de Maomé e do Alcorão".[39] João usou realmente uma linguagem forte a respeito do islamismo, mas é claro que ele tomou tempo para entender o pensamento e as ideias islâmicas e, até, leu o Alcorão em árabe.[40]

---

36 Um bom exemplo disto é uma tese de doutorado em Ministério escrita por Rev. Todd Wilson, de Munford (Tennessee), que eu mesmo estou supervisionando, "Back to the Future: Irenaeus as a Pastoral-Preaching Model for Answering Encroaching Neo-Paganism in the Contemporary Evangelical Church" (tese de DMin, Knox Theological Seminary, a ser publicada).

37 Quanto a este ponto, devo-o a uma conversa que tive com um amigo próximo e meu ex-aluno, Scott Dyer, de Burlington (Ontário), julho de 2010.

38 Quanto à vida e pensamento de João de Damasco, ver o estudo categórico escrito por Andrew Louth, *St. John Damascene: Tradition and Originality in Byzantine Theology* (Oxford: Oxford University Press, 2002). Quanto a descrições breves, ver também Thomas FritzGerald, "John of Damascus", em *The Encyclopedia of Christianity*, ed. Erwin Fahlbusch, tans. Geoffrey W. Bromiley (Grand Rapids: Eerdmans; Leiden: E. J. Brill, 2003), 3:70-71; Bonifatius Kotter, "Johannnes von Damaskus", em *Theologische Realenzyklopädie*, ed. Gehard Müller (Berlin: Walter de Gruyter, 1988), 17:127-32. Uma versão em inglês de seus escritos está disponível em Frederic H. Chase Jr., *Saint John of Damascus: Writings*, The Fathers of the Church 37 (New York: Fathers of the Church, 1989).

39 *Letter to Christendom* (London: Virago, 1989), 4.

40 Ver Daniel J. Sahas, *John of Damascus on Islam: The "Heresy of the Ishmaelites"* (Leiden: E. J. Brill, 1972), passim; Louth, *St. John Damascene*, 76-83.

Como já notamos antes, João Damasceno é frequentemente descrito como o último dos pais no Oriente, cuja obra *A Fonte do Conhecimento* é a primeira grande teologia sistemática a aparecer na história da igreja cristã. Ele pode até ter sido um árabe, por etnicidade, visto que o nome de sua família era Masur, um nome comum entre os cristãos siros de descendência árabe.[41] Seu avô, Masur ibn Sargun, desempenhou um papel importante na rendição de Damasco ao exército muçulmano de Khalid ibn al-Walid (morreu cerca de 641). Os primeiros governantes da Síria foram tolerantes à presença de cristãos, e o avô do João se tornou um administrador importante no governo muçulmano da região. O pai de João, Ibn Masur, era conhecido como um cristão dedicado, mas também como um dos mais confiáveis oficiais no regime islâmico. João sucedeu seu pai como um conselheiro importante para o governante muçulmano, califa Abd al--Malik (reinou entre 685-705). Depois de uma vida longa de serviço na esfera pública, João deixou sua posição pública, na primeira parte do século VIII, para adotar um estilo de vida monástico em um monastério perto de Jerusalém. João foi um escritor prolífico, e, entre suas obras, há dois textos que se reportam ao islamismo: *Sobre Heresias 101*, uma seção extensa de uma obra que cataloga várias heresias que afligiam a igreja,[42] e *Um Diálogo entre um Sarraceno e um Cristão*.[43] Vejamos brevemente a primeira destas obras, *Sobre Heresias 101*.

O texto começa definindo o islamismo como a "superstição dos ismaelitas ainda prevalecente que engana as pessoas" e o "precursor do Anticristo". Por descrever o islamismo como "ainda prevalecente", João Damasceno indica o poder político do islã em sua região do mundo. Todavia, ele critica o islã como um erro enganador e o identifica com o Anticristo, uma identificação que há muito tem prevalecido entre autores cristãos.

Em seguida, João situa Maomé historicamente e identifica alguns de seus principais ensinos teológicos. Nas palavras de João, Maomé disse que

---

41 Sahas, *John of Damascus on Islam*, 7.
42 Quanto a traduções para o inglês, ver Chase, *Saint John of Damascus, 153-60*; Sahas, *John of Damascus on Islam*, 133-41; e Kevin P. Edgecomb, "St. John of Damascus on Islam", Biblicalia, acessado em 7 de setembro de 2007, http://www.bombaxo.com/blog/?p=210.
43 Quanto a traduções para o inglês, ver John W. Voorhis, "The Discussion of a Christian and a Saracen, by John of Damascus", *The Moslen World* 25 (1935): 266-73; Sahas, *John of Damascus on Islam*, 143-55.

Há um único Deus, o Criador de todas as coisas, que nunca foi gerado e nunca gerou. Ele diz que Cristo é a Palavra de Deus e seu Espírito, somente uma criação e servo; e que ele foi nascido sem semente de Maria, a irmã de Moisés e Arão. Pois ele diz que a Palavra de Deus e o Espírito vieram a Maria, e ela deu à luz Jesus, que era um profeta e servo de Deus; e que os judeus, agindo contra a lei, quiseram crucificá-lo e, havendo detido (a ele), crucificaram a sua sombra. Pois Cristo mesmo, ele diz, não foi crucificado, nem morreu, visto que Deus mesmo o tomou para o céu, porque o amava.[44]

Aqui João relatou com exatidão o ensino do islamismo, de que Cristo não foi crucificado, mas que "Deus o levou para si mesmo"; isso é, realmente, uma afirmação herdada do gnosticismo![45] É evidente que esta afirmação se choca com o âmago do cristianismo bíblico, no qual a morte de Cristo em favor de pecadores é totalmente central. Se Cristo não morreu por nossos pecados, o pecado humano permanece sem expiação, não há salvação, e, obviamente, Cristo não ressuscitou dos mortos, nem haverá ressurreição de todos os que creem nele. O ensino islâmico resumido por João também se opõe à realidade histórica, pois nenhum historiador sério duvida da realidade da crucificação, não importando o que ele pense sobre a fé cristã.[46]

Depois, João prossegue para abordar a crítica mulçumana da Trindade.

> E eles nos chamam de Associadores, porque, dizem eles, introduzimos um associado a Deus, por dizermos que Cristo é o Filho de Deus e Deus. Para eles dizemos que isto é o que as Escrituras e os Profetas transmitiram. E

---

44 Edgecomb, "St. John of Damascus on Islam".
45 Alcorão 4.157-58. Há, porém, dois outros textos – Alcorão 3.54-55 e 19.29-34 – que dão a entender que Cristo morreu.
46 F. P. Cotterell, "The Christology of Islam", em *Christ the Lord*, ed. Harold H. Rowdon (Leicester: Inter-Varsity, 1982), 290-95, passim; Geoffrey Parrinder, *Jesus in the Qur'an* (New York: Barnes e Noble, 1965), 116.

você, como você insiste, aceita os Profetas. Se, portanto, estamos errados em dizer que Cristo é o Filho de Deus, aqueles que nos ensinaram e transmitiram isso também estão errados.[47]

Aqui, João combate outra questão-chave que o islamismo tem com o cristianismo, ou seja, o seu trinitarianismo. Em algumas regiões que são cristãs, o islamismo tem um apelo agradável, ou seja, sua simplicidade como uma fé monoteísta – Deus é um, e não há outro que seja Deus – oposta ao cristianismo que tem sua teologia complexa em referência à Trindade e à encarnação.[48] Mas, como João Damasceno mostra corretamente, a afirmação cristã da divindade de Cristo – e, por extensão, da divindade do Espírito Santo – está nas Escrituras. Os cristãos são trinitarianos porque o Novo Testamento é trinitariano. Portanto, eles devem se esforçar para ter algum entendimento destas verdades, embora, em última análise, elas estejam além da capacidade humana de compreendê-las totalmente.

João está respondendo com clareza a declaração do Alcorão que diz:

Pessoas do Livro, não ide ao excesso em vossa religião e nada digais a respeito de Deus, exceto a verdade: o Messias, Jesus, filho de Maria, era nada mais do que um mensageiro de Deus, sua Palavra, confiado a Maria, um espírito dele. Portanto, crede em Deus e em seus mensageiros e não faleis de uma "Trindade" – abstende-vos [disto], que é melhor para vós – Deus é um único Deus; ele está muito além de ter um filho.[49]

---

47 Edgecomb, "St. John of Damascus on Islam".
48 A simplicidade do islamismo oposta à complexidade do cristianismo é bem vista na diferença arquitetônica entre igrejas desta era e as mesquitas. Por exemplo, a grande igreja de São Apolinário que foi construída nos anos 530, perto de Ravena, no Norte da Itália, é ricamente decorada com mosaicos altamente adornados para impressionar o observador e convencê-lo de que o cristianismo é uma fé marcada por "esplendor real". Por contraste, a Grande Mesquita de Córdoba, construída após a conquista da Espanha visigótica, nas primeiras duas décadas do século VIII, não tem qualquer imagem, sendo extremamente simples em seu desenho e ornamentação. Esta simplicidade no desenho arquitetônico se harmonizava com a simplicidade da teologia islâmica e se tornou um atrativo para muitos. Ver Yoram Tsafrir, "Ancient Churches in the Holy Land", *Biblical Archeology Review* 19, no. 5 (October, 1993): 30; Robert Milburn, *Early Christian Art and Architecture* (Aldershot: Scholar Press, 1988), 173.
49 Alcorão 4.171. Ver também Alcorão 5.72-73 e 5.116-17, que inclui Maria na Trindade.

Vemos aqui algo do monoteísmo ardente do islamismo. A resposta de João tem de ser, em última análise, a nossa resposta. Mas, o que o Novo Testamento afirma e o que o nosso próprio Senhor disse a respeito de si mesmo? Embora a doutrina da Trindade seja difícil de compreender, ela é a verdade bíblica, e precisamos saber como proclamá-la.

Em outro texto em que João de Damasco explica o âmago da fé cristã, *A Fé Ortodoxa*, ele diz o seguinte sobre a redenção que Cristo trouxe, e, embora não mencione explicitamente o islamismo, ele faz um contraste claro entre as duas religiões: Desde a vinda do Senhor Jesus Cristo,

> Altares e templos de ídolos foram destruídos. O conhecimento de Deus foi implantado. A Trindade consubstancial, a Divindade não criada é adorada, único Deus verdadeiro, Criador e Senhor de tudo. A virtude é praticada. A esperança da ressurreição foi garantida mediante a ressurreição de Cristo. Os demônios temem perante o homem que antes estava no poder deles. Sim, e o mais maravilhoso de tudo é que todas estas coisas foram realizadas com sucesso por meio de uma cruz, sofrimento e morte. O evangelho do conhecimento de Deus tem sido pregado a todo o mundo e colocado os adversários em fuga não por meio de guerras, armas e acampamentos. Antes, isso aconteceu por meio de poucos homens desarmados, pobres, iletrados, perseguidos, afligidos e mortos, que, por pregarem Aquele que foi crucificado na carne, prevaleceram sobre os sábios e poderosos, porque o poder supremo do Crucificado estava com eles. O fato de que a morte era antes algo tão terrível foi vencido e Aquele que antes era rejeitado e odiado é agora preferido à vida. Estes são os sucessos consequentes à vinda do Cristo; estes são os sinais do seu poder...
>
> Ó Cristo, ó sabedoria e poder, a Palavra de Deus e Deus todo-poderoso! O que podemos nós, pessoas sem recursos, dar-te em retorno por todas as coisas? Pois todas as coisas são tuas, e tu nada pedes de

nós, exceto que sejamos salvos. [E] até isto nos dás, e, por tua bondade inefável, és gracioso para com aqueles que o aceitam.[50]

LENDO OS PAIS DA IGREJA PARA OBTER ALIMENTO ESPIRITUAL

Os cristãos, como todos os seres humanos, são seres histórico. Sua vida está intimamente ligada ao passado, ao seu próprio passado imediato ou ao passado de outros seres humanos. Como Gilbert Beers, um antigo editor de *Christianity Today*, comentou: "Devemos muito a muitas pessoas que nunca conhecemos". Em tempos idos, quando havia uma reverência pelo passado, esta realidade era reconhecida com gratidão. Mas, como Beers comentou em seguida: "Vivemos em uma sociedade descartável; descartamos coisas que consideramos um fardo. Minha preocupação é que não acrescentemos nossos predecessores à coleção de coisas descartadas, rejeitando negligentemente aqueles que nos tornaram o que somos".[51] O estudo dos pais da igreja, como o estudo da história da igreja em geral, informa os cristãos sobre os seus predecessores na fé, aqueles que ajudaram a moldar suas comunidades cristãs e, assim, as tornaram o que elas são. Esse tipo de estudo tece humildade e modéstia na urdidura e na trama da vida cristã e, como tal, pode exercer uma profunda influência santificadora.

Em Hebreus 13.7, o autor desta parte das Escrituras Sagradas exortou seus leitores a "lembrar" seus líderes passados, aqueles que pregaram a Palavra de Deus para eles. Deviam examinar atentamente (*anatheōrountes*) o "fim" – "totalidade" ou "realização" (*ekbasin*) – do comportamento diário deles, manifestado em toda a vida.[52] Aqui temos uma razão importante para estudarmos a história da igreja e, em especial, os pais da igreja. Nos confessores e mártires da era anterior a Constantino, por exemplo, temos muitos modelos do que

---

50 *An Exact Exposition of the Ortodox Faith* 4.4, em Chase, *Saint John of Damascus*, 338-39, alterado.
51 *Christianity Today*, November 26, 1982, 12.
52 Philip Edgcumbe Hughes, *A Commentary on the Epistle to the Hebrews* (Grand Rapids: Eerdmans, 1977), 569; William L. Lane, *Hebrews 9-13*, World Biblical Commentary 47b (Dallas: Word, 1991), 522.

significa ser um cristão em uma sociedade hostil, uma situação com a qual se deparam muitos crentes ao redor do mundo hoje e, crescentemente, no Ocidente.[53] Naquela época, durante aqueles dias no século IV, quando a doutrina da divindade de Cristo e de seu Espírito estava sob ataque, temos modelos do que significa ser comprometido com fidelidade doutrinária. Quanto a isto, vale a pena comentar que John Wesley (1703-1791), um dos pais do metodismo, ao enviar uma carta de encorajamento ao jovem abolicionista William Wilberforce (1759-1833), pôde citar o exemplo da obstinação de Atanásio em defender a divindade de Jesus. Escrevendo uma semana antes de sua morte, o idoso evangelista cristão disse a Wilberforce a respeito de sua luta contra o comércio de escravos:

> A menos que o poder de Deus o tenha levantado para que seja um Atanásio *contra mundum*, não vejo como você pode prosseguir em seu glorioso empreendimento, em opor-se à vileza abominável que é o escândalo do cristianismo, da Inglaterra e da natureza humana. A menos que Deus o tenha levantado para isto mesmo, você será derrotado pela oposição de homens e demônios; mas, se Deus é com você, quem pode ser contra você. Todos os homens juntos são mais fortes do que Deus? Oh! Não se canse de fazer o bem. Prossiga em nome de Deus e na força do seu poder, até que a escravidão americana, a pior que o sol já viu, seja aniquilada pelo poder de Deus.[54]

Wesley começou esta carta fascinante com uma referência à defesa de Atanásio quanto à divindade de Cristo durante mais de 30 anos, apesar de exílio e perseguição. Atanásio só foi capaz de manter esta luta, subentende Wesley, porque Deus o capacitou a perseverar. De modo semelhante, a menos que Deus capacitasse Wilberforce na luta para abolir a instituição da escravatura, ele cairia diante daqueles que apoiavam a "vileza abominável".

---

53 Trueman, "The Fathers".
54 Frank Whaling, ed., *John and Charles Wesley: Selected Prayers, Hymns, Journal Notes, Sermons, Letters and Treatises* (New York: Paulist, 1981), 170-71.

Não há dúvida de que gerações de crentes têm achado nos escritos de homens como Basílio e Agostinho alimento para a alma, do qual os evangélicos do passado eram bem cientes. Wesley, por exemplo, publicou uma coleção de 50 volumes de clássicos espirituais, *The Christian Library* (1750), para os seus pregadores leigos. O que vale a pena salientar é que ele inclui certo número de clássicos espirituais patrísticos: alguns dos escritos dos pais apostólicos, os atos dos primeiros mártires cristãos e os sermões espiritualmente ricos de Macarius Simeon (influente no século IV). Os crentes evangélicos precisam recapturar a sabedoria neste aspecto de nossos antepassados espirituais.

ESTE LIVRO SOBRE OS PAIS DA IGREJA

Estas razões são apenas um começo em direção a dar uma resposta satisfatória à pergunta "Por que estudar os pais da igreja?"[55] Há, certamente, outras razões para se estudar esses autores antigos que podem ser mais óbvias ou mais importantes. Mas as razões que já apresentamos indicam suficientemente a necessidade de estudo dos pais na vida da igreja: ajudar em sua libertação do espírito do século XXI; prover um guia em seu andar com Cristo; ajudá-la a entender o testemunho básico de sua fé, o Novo Testamento; refutar as más histórias sobre igreja antiga; ser um instrumento de nutrição espiritual.

Neste livro, procuro recomendar a leitura e o estudo diligente dos pais da igreja por considerar vários deles. Os pais da igreja específicos que foram escolhidos – Inácio de Antioquia (influente em 80-107), o autor da *Epístola a Diogneto*, Orígenes (c. 185-254), Cipriano (c. 200-258), Ambrósio (c. 339-397), Basílio de Cesareia e Patrício (c. 389-461) – são homens que tenho ouvido e com os quais tenho andado por mais de três décadas.[56] Outros poderiam ter servido também como uma introdução aos pais – homens como Ireneu de Lion (c. 130-200), Atanásio, os outros dois capadócios além de Ba-

---

55 Ver, suplementarmente, Paul A. Hartog, "The Complexity and Variety of Contemporary Church – Early Church Engagements", em Hartog, *Contemporary Church and the Early Church*, 1-26.
56 Quanto a uma reflexão sobre este andar com os pais, ver capítulo 8.

sílio, Gregório de Nazianzo (c. 329-389/390) e Gregório de Nissa (c. 335–c. 394). O que foi crítico não foi a escolha deles, e, sim, as questões que eles enfrentaram em sua vida como crentes, pois estas questões são centrais à era patrística: martírio, monasticismo e discipulado; testemunho para um mundo incrédulo e missão; o cânon e a interpretação das Escrituras; e a suprema questão desta era – a doutrina da Trindade e adoração.

Uma palavra final sobre os pais antes de penetrarmos em seu mundo antigo. Os Pais não são as Escrituras. São companheiros experientes de conversa sobre as Escrituras e seu significado. Nós os ouvimos com respeito, mas não temamos discordar quando eles erram. Como os reformadores argumentaram corretamente, os escritos dos pais têm de ser subjugado às Escrituras. John Jewel (1522-1571), o apologista anglicano, expressou isso muito bem quando disse:

> O que dizemos sobre os pais, Agostinho, Ambrósio, Jerônimo, Cipriano, etc.? O que devemos pensar sobre eles ou que descrição podemos fazer sobre eles? Eles são intérpretes da Palavra de Deus. São homens eruditos e pais eruditos, instrumentos da misericórdia de Deus e vasos de plena graça. Não os rejeitamos, nós os lemos, os respeitamos e damos graças a Deus por eles. Eles foram testemunhas da verdade, foram os pilares e ornamentos valiosos na igreja de Deus. Contudo, eles não podem ser comparados com a Palavra de Deus. Não podemos edificar sobre eles; não podemos torná-los o fundamento e o padrão de nossa consciência. Não podemos colocar neles a nossa confiança. Nossa confiança está em o nome do Senhor.[57]

---

57 Citado em Barrington R. White, "Why Bother with History?", *Baptist History and Heritage* 4 (July 1969): 85.

CAPÍTULO 2

MORRENDO POR CRISTO

O Pensamento de Inácio de Antioquia

As coisas que me aconteceram têm, antes, contribuído para o progresso do evangelho; de maneira que as minhas cadeias, em Cristo, se tornaram conhecidas de toda a guarda pretoriana e de todos os demais.
FILIPENSES 1.12-13

Nas sete cartas de Inácio de Antioquia, possuímos uma das mais ricas fontes para entender o cristianismo na era imediatamente posterior aos apóstolos.[1] Embora sejam um pouco desconexas em estilo e cheias de embelezamentos retóricos, estas cartas manifestam, citando as palavras do erudito bíblico Bruce Metzger, "uma fé tão vigorosa e um amor tão intenso por Cristo, que as tornam uma das mais excelentes expressões literárias do cristianismo durante o século II".[2]

---

[1] Grande parte deste capítulo apareceu na forma de um artigo intitulado "Come to the Father: Ignatius of Antioch and His Calling to Be a Martyr", *Themelios* 32, no. 3 (May 2007): 26-39. Usado com permissão. *Themelios* é agora um jornal digital operado por The Gospel Coalition. Ver http://thegospelcoalition.org/publications/?/themelios. Rowan Williams, *Christian Spirituality* (Atlanta: John Knox, 1980), 14.

[2] *The Canon of the New Testament: Its Origin, Development, and Significance* (Oxford: Clarendon, 1987), 44.

É evidente que três preocupações eram predominantes na mente de Inácio quando ele escreveu suas cartas.[3] Antes de tudo, ele anelava ver unidade em cada nível na vida das igrejas locais para as quais escrevia. Em suas próprias palavras, ele era um homem "dedicado à causa da unidade".[4] É importante notar que seu compromisso com a unidade cristã não sobrepujou a paixão pela verdade. Unidade era unidade no evangelho e na fé cristã. Portanto, a segunda grande preocupação de Inácio era um desejo ardente de que seus colegas crentes permanecessem firmes na fé comum, para guardarem-se das heresias. Enquanto não há um consenso erudito quanto ao número de heresias em vista nas cartas de Inácio,[5] é claro que uma das heresias era uma forma de docetismo, a qual afirmava que a encarnação de Cristo e, por consequência, sua morte e ressurreição não aconteceram realmente. Por último, Inácio foi zeloso em recrutar a ajuda de seus correspondentes para completarem com êxito a sua própria vocação, que não foi nada mais do que uma chamada ao martírio.[6]

Todas estas três áreas das cartas de Inácio têm ocasionado tanto importante elaboração erudita como crítica severa. Das três, o desejo de Inácio por martírio tem causado o maior criticismo, visto que inúmeros eruditos têm sugerido que os comentários de Inácio sobre a sua morte revelam um homem mentalmente desequilibrado. W. H. C. Frend, em seu estudo monumental

---

3 John E. Lawyer Jr., "Eucharistit and Martyrdom in the Letters of Ignatius of Antioch", Anglican Theological Review 73 (1991): 281. Tem havido debates sobre a autenticidade das cartas. Foi o arcebispo calvinista irlandês James Ussher (1581-1656) quem abriu o caminho para a perspectiva moderna sobre o que constitui as cartas autênticas de Inácio. Ver sua obra *Polycarpi et Ignatii epistolae* (Oxford, 1644). Quanto à transmissão do texto destas cartas, ver também um breve resumo feito por Andrew Louth, "Ignatius of Antioch", em *Early Christian Writings: The Apostolic Fathers*, trad. Maxwell Staniforth (1968, repr. Harmondsworth, UK: Penguin, 1987), 55-56. Daqui para frente, esta tradução será citada como Staniforth, *Early Christian Writings*. Quanto à autenticidade, ver também Christine Trevett, *A Study of Ignatius of Antioch in Syria and Asia* (Lewiston: Edwin Mellen, 1992), 9-15.

4 Inácio, *Filadelfos* 8.1, em Staniforth, *Early Christian Writings*, 95. Ver também Inácio, *Policarpo* 1.2; *Filadelfos*, 7.2.

5 Por exemplo, Charles Thomas Brown, *The Gospel and Ignatius of Antioch* (New York: Peter Lang, 2000), 176-179, crê que há dois grupos heréticos em vista, judaizantes gentios e gnósticos. Se isto é verdade, o primeiro grupo é abordado em *Magnésios* e *Filadelfos*, enquanto os gnósticos são respondidos em *Tralianos* e *Esmirneanos*. Quando a outras contribuições proveitosas para esta discussão, ver L. W. Barnard, "The Background of St. Ignatius of Antioch", *Vigiliae Christianae* 17 (1963): 193-206; Trevett, *Study of Ignatius of Antioch*, 194-99; Jerry L. Sumney, "Those Who 'Ignorantly Deny Him': The Opponents of Ignatius of Antioch", *Journal of Early Christian Studies* 1 (1993): 345-65.

6 Vale a pena dizer que Inácio nunca usou o termo *mártir* como um termo técnico.

Martyrdom and Persecution in the Early Church (Martírio e Perseguição na Igreja Primitiva), descreve as cartas de Inácio como que mostrando "um estado de exaltação que beira a obsessão".[7] G. E. M. de Ste. Croix afirma com franqueza que Inácio tinha um "anseio patológico" pela morte, que é o sinal seguro de uma "anomalia mental".[8] Um estudo cuidadoso do pensamento de Inácio sobre a sua própria morte revela um homem que sabia corretamente que o crer cristão exige um envolvimento fervoroso de toda a pessoa, até a ponto de morte física. Emprestando algumas palavras do teólogo contemporâneo Kevin Vanhoozer, o martírio para Inácio era "uma poderosa forma de ação que manifestava a verdade", ou seja, a verdade sobre Cristo e sobre o próprio Inácio como cristão.[9]

Em um estudo das diferenças entre as cartas de Inácio, Mikael Isacson observou corretamente que as cartas de Inácio aos romanos e a Policarpo (69/70-155/160) são, em essência, diferentes das outras cinco. A carta escrita para Policarpo é a única dirigida a um indivíduo e contém, em sua maior parte, exortações de um bispo para outro. A carta escrita para os romanos é dirigida a uma igreja com a qual Inácio não tinha ligação pessoal, diferentemente das outras cinco igreja para as quais ele enviou cartas. Com relação ao conteúdo da carta dirigida aos romanos, ela é bastante focalizada: é sobre o seu martírio iminente.[10] A carta de Inácio centrada no martírio dirigida aos romanos será, portanto, o foco da seção central deste capítulo.[11]

Também devemos observar que a carta aos romanos não tem saudação a um bispo em Roma. Em todas as outras cartas, Inácio fala do bispo da congregação à qual ele escreve, mas ele não faz isso na carta enviada a Roma.

---

7 *Martyrdom and Persecution in the Early Church* (Oxford: Basil Blackwell, 1965), 197.
8 "Why Were the Early Christians Persecuted?", Past and Present 26 (November 1963): 23-24. Ele sugere também que Inácio é o precursor de um tipo de martírio cristão criticado fortemente pelos líderes da igreja, o martírio voluntário (ibid.). Não há qualquer evidência que apoie esta sugestão.
9 *First Theology: God, Scripture and Hermeneutics* (Downers Grove, IL: InterVarsity: Leicester, England: Apollos, 2002), 364-65.
10 *To Each Their Own Letter: Structure, Themes, and Rhetorical Strategies in the Letters of Ignatius of Antioch* (Stockholm: Almqvist & Wiksell, 2004), 20.
11 Quanto à expressão *centrada no martírio*, sou devedor a Lucy Grig, *Making Martyrs in Late Antiquity* (London: Duckworth, 2004), 16.

Não importando qual seja a razão para a omissão, fica evidente que, na eclesiologia de Inácio, o bispo é vital para a unidade da igreja local.[12] Assim, por exemplo, a única celebração válida da Ceia do Senhor é aquela que o bispo preside.[13] E somente o casamento que se realiza com o consentimento do bispo pode ser descrito como um casamento cristão (*kata kyrion*).[14] Ao lermos estas afirmações sobre o episcopado, é importante lembrarmos o contexto em que elas são emitidas. As comunidades para as quais Inácio escreve lutam com a presença de heresia, e Inácio está convencido de que um líder ortodoxo na congregação, o bispo, pode assegurar a ortodoxia da congregação. Não ocorre, pelo menos para este leitor das cartas de Inácio, que o bispo de Antioquia é "exageradamente encantado com a ideia do monoepiscopado *per se*".[15]

Devido à preocupação de Inácio em refutar heresias, não é surpreendente achá-lo ligando os temas de martírio e cristologia ortodoxa. Esta ligação é feita primariamente na carta aos esmirneanos e será examinada perto do final deste capítulo. Primeiramente, veremos como a perseguição de cristãos como Inácio suscitou a necessidade de ser descrita, e, depois, em segundo, o que pode ser conhecido sobre a viagem de Inácio para Roma e o contexto histórico imediato de suas cartas precisam ser apresentados.

O MÁRTIR CRISTÃO

Nossa palavra *mártir* é derivada do grego *mártus*, que era, originalmente, um termo jurídico usado sobre uma testemunha em um tribunal. Essa pessoa "tem o conhecimento ou a experiência de certas pessoas, eventos ou circunstâncias e, por isso, está numa posição de falar abertamente e faz isso".[16]

---

12 Ver, por exemplo, *Magnésios* 13.1-2; *Esmirnaeanos* 8-9; *Filadelfos* 7.1-2; *Policarpo* 6.1.
13 *Esmirneanos* 8.1.
14 *Policarpo* 5.2.
15 Kenneth A. Strand, "The Rise of the Monarchical Episcopate", *Andrews University Seminary Studies* 4 (1966): 77. Quanto a uma discussão esclarecedora do ponto de vista de Inácio sobre a liderança da igreja local, ver Allen Brent, "The Ignatian Epistles and the Threefold Ecclesiastical Order", *The Journal of Religious History* 17, no. 1 (June 1992): 18-32.
16 Allison A. Trites, *The New Testament Concept of Witness* (Cambridge: Cambridge University Press, 1977), 9.

No Novo Testamento, a palavra e seus cognatos são aplicados frequentemente aos cristãos, que dão testemunho de Cristo, muitas vezes perante as cortes da lei, quando suas afirmações são contestadas, e sua fidelidade é testada pela perseguição.

A transição desta palavra nas primeiras comunidades cristãs de "testemunha" para o que vocábulo "mártir" envolve é um excelente indicador do que estava acontecendo aos cristãos quando eles davam testemunho de Cristo no século I. Em Atos 1.8, Jesus diz aos apóstolos que eles seriam suas "testemunhas" (*mártires*) em Jerusalém, Judeia, Samaria e até aos confins da terra. Nesta altura, a palavra não tinha uma associação com a morte, embora em Atos 22.20 lemos sobre o derramamento do "sangue de Estêvão", a "testemunha" do Senhor. Contudo, foi somente no final dos escritos do Novo Testamento que a palavra *mártir* adquiriu uma associação com a morte.[17]

No final da era apostólica, o Cristo ressurreto, em Apocalipse 2, elogia seu servo Antipas, sua testemunha "fiel", que fora morto por causa da fé cristã em Pérgamo, "onde Satanás habita" (Ap 2.13). Pérgamo, devemos ressaltar, era um centro importante da adoração do imperador na Ásia Menor, a primeira cidade da província a construir um templo para um imperador romano, a saber, César Augusto. Pode ter sido a recusa de Antipas em confessar César como Senhor e em adorá-lo que causou o seu martírio.[18] A palavra *mártir* parece ter adquirido seu significado futuro, primeiramente, nas comunidades cristãs da Ásia Menor, onde o encontro entre a igreja e o império foi especialmente violento.[19] Neste respeito, não era casual que a Ásia Menor "gostava de modo incomum" do violento entretenimento dos shows de gladiadores. De fato, havia uma escola de treinamento para gladiadores em Pérgamo. Junta-

---

17 Cf. G. W. Bowersock, *Martyrdom and Rome* (Cambridge: Cambridge University Press, 1995), 1-21.

18 Paul Keresztes, "The Imperial Roman Government and the Christian Church. I. From Nero to the Severi", em *Aufstieg und Niedergang der römischen Welt*, 2.23.1, ed. Wolfgang Haase (Berlin: Walter de Gruyter, 1979), 272; G. K. Beale, *The Book of Revelation* (Grand Rapids: Eerdmans, 1999), 246. Em contraste com o que argumentei sobre este ser o caso do uso técnico posterior de *mártir*, Bowersock (*Martyrdom and Rome*, 14-15) sustenta que Antipas não foi um *mártir* "porque ele foi morto, e sim uma testemunha que foi morta".

19 Theofried Baumeister, "Martyrdom and Persecution in Early Christianity", trad. Robert Nowell, em *Martyrdom Today*, ed. Johannes-Baptist Metz and Edward Schillebeeckx (Edinburgh: T&T Clark; New York: Seabury, 1983), 4.

mente com esta fascinação por tal violência, teria havido uma demanda por vítimas acima dos gladiadores requisitados. Assim, tinha-se o recurso de matar cristãos, entre outros.[20] Por isso, a palavra *mártir* se tornou restrita, em seu uso, a um único significado: dar testemunho da pessoa e da obra de Cristo até a ponto de morte.

PERSEGUIÇÃO ROMANA E JUDAICA CONTRA A IGREJA

Inicialmente, a violência contra a igreja não veio do estado romano, e sim do próprio povo de Jesus, os judeus. Este fato é bem ilustrado pelo incidente registrado em Atos 18.12-16, quando alguns dos líderes judeus procuraram arregimentar a ajuda do estado romano para expulsar o apóstolo Paulo de Corinto. Expuseram seu caso ao procônsul da Acaia, Lucius Junius Gallio (morreu em 65), o irmão mais velho de Sêneca (morreu em 65), mentor e conselheiro do imperador Nero (37-68). Acusaram o apóstolo de ensinar as pessoas a adorarem a Deus de maneiras que violavam a lei romana. Todavia, em contrário à sua expectativa, Gálio considerou claramente a contenda entre os judeus e o apóstolo Paulo como algo interno do judaísmo e de nenhuma preocupação para o governo romano. Nesta passagem, o ataque à igreja procedeu daqueles judeus que recusavam aceitar a mensagem de que Jesus crucificado e ressuscitado era o Messias esperado.

De fato, durante aqueles primeiros dias do cristianismo, conforme registrados no livro de Atos, foram os judeus que atacaram a igreja. Foram eles que prenderam os apóstolos Pedro e João e os ameaçaram com punição, se pregassem em nome de Jesus (At 4.1-22). Pouco tempo depois, eles prenderam os apóstolos, acoitaram-nos e lhes ordenaram que não pregassem de novo em nome de Jesus (At 5.17-41). Foram eles que mataram Estêvão, o primeiro mártir (At 7). Um dos principais perseguidores judeus era Saulo/ Paulo, que, em sua viagem a Damasco, para atacar a igreja, com esperança

---

20 Bowersock, *Martyrdom and Rome*, 17-18; Keresztes, "The Imperial Roman Government and the Christian Church", 272.

de destruí-la, foi impedido no meio da viagem e transformado numa pessoa que amava a Jesus, a quem antes ele odiava (At 9.1-19). Quando este ex--perseguidor transformado em pregador cristão começou a proclamar Jesus como o Messias, os líderes judeus, tanto em Damasco como em Jerusalém, procuraram matá-lo (At 9.22-25, 29). Foi Herodes Agripa, o meio-judeu, que matou o apóstolo Tiago e prendeu Pedro com a intenção de fazer o mesmo com ele (At 12.1-19). Depois, à medida que Lucas descreve o ministério do apóstolo Paulo em cidades e lugares gentios, mostra que foram os líderes de sinagogas judaicas que, vez após vez, comprovaram ser os oponentes mais ferozes do evangelho.[21]

Por volta dos anos 60, durante o reinado do imperador romano Nero, o cenário era completamente diferente. Em meados de julho de 64, um incêndio começou no coração da cidade de Roma e se tornou incontrolável por quase uma semana, devastando a maior parte da cidade. Depois que o incêndio foi debelado, espalhou-se o boato de que o próprio o Nero o começara, pois todos sabiam que ele queria demolir a capital do império para reconstruir a cidade em um estilo que se harmonizava com sua concepção de sua própria grandeza. Ciente de que tinha de atenuar as suspeitas de que ele era responsável pelo incêndio, Nero lançou a culpa sobre os cristãos.[22] Muitos cristãos, incluindo o apóstolo Pedro, conforme uma tradição que parece ser genuína,[23] foram presos e executados. O seu crime foi incêndio criminoso. O historiador romano Tácito (c. 56- c. 120) parecia duvidar da realidade disto, embora acreditasse que os cristãos eram corretamente "detestados por seus erros". O texto de Tácito menciona somente um erro explícito: "ódio da raça humana". Por

---

21 Ver, por exemplo, Atos 13.44-50; 14.1-6, 19-20; 17.1-9, 13-14; 18.12-16; 19.8-9; 20.19; 21;10-14, 27-36; 22.22-23; 23.12-22.
22 A mais completa descrição que temos desta violência contra a igreja é do historiador romano Tácito. Ver seus *Anais* 15.44.3-8. Quanto a uma discussão sobre este relato importante feito por Tácito, ver Paul Winter, "Tacitus and Pliny on Christianity", *Klio* 52 (1970): 497-502; Keresztes, "Imperial Roman Government and the Christian Church", 247-57; Stephen Benko, "Pagan Cristicismo fo Christianity During the First Two Centuries A.D.", em *Aufstieg und Niedergang der römischen Welt*, 2.23.2, ed. Wolfgang Haase (Berlin: Walter de Gruyter, 1980), 1062-68; Ivor J. Davidson, *The Birth of the Church: From Jesus to Constantine*, A.D. 30-312, The Baker History of the Church 1 (Grand Rapids: Baker, 2004), 191-93.
23 Ver Tertuliano, *Scorpiace* 15.

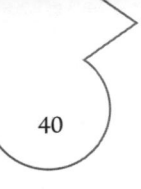

que os cristãos, que pregavam uma mensagem de amor divino e foram ordenados a amar até os inimigos, eram acusados desse erro? Bem, se vemos com os olhos do paganismo romano, a lógica parece irrefutável. Afinal de contas, eram os deuses romanos que mantinham o império seguro. Mas os cristãos se recusavam a adorar esses deuses – assim, a acusação de "ateísmo" era, às vezes, lançada sobre eles.[24] Portanto, muitos de seus vizinhos pagãos raciocinavam: eles não amam o imperador e os habitantes do império. Por isso, os cristãos eram vistos como fundamentalmente antirromanos e, sendo assim, eram um perigo positivo para o império.[25] Um dos cristãos mais proeminentes que foram mortos pelo Império Romano como um inimigo do estado foi Inácio, bispo da igreja em Antioquia da Síria.

A VIAGEM DE INÁCIO ATÉ ROMA

Inácio foi preso na cidade de Antioquia por volta de 107 e 110. Foi enviado a Roma para ser julgado.[26] Não há detalhes da perseguição em que ele foi preso, embora Inácio mencione outros que foram talvez presos durante a mesma perseguição e o precederam na ida para Roma.[27] Ele foi levado através das grandes estradas do Sul da Ásia Menor sob a custódia de dez soldados romanos, os quais ele comparou a "leopardos selvagens".[28] Ele esperava que o fim da viagem a Roma tivesse um resultado certo: a morte.

---

24 Ver, por exemplo, Justino Mártir, *Segunda Apologia* 3; Atenágoras, *Petição em Favor dos Cristãos* 3.1; 10.5; 13.1.

25 Os cristãos eram também acusados de incesto, aparentemente uma compreensão errônea da afirmação cristã sobre amar os irmãos e as irmãs em Cristo, e de canibalismo, uma compreensão errônea da Ceia do Senhor. Em relação a esta última, ver, por exemplo, Justino Mártir, *Segunda Apologia* 12. Plínio, *Cartas 10.96*, também viu os cristãos como sendo culpados de "fanatismo" (*amentia*) e de desobediência audaciosa e persistente (*contumacia*) aos magistrados romanos que lhes ordenavam a adoração dos deuses romanos. Ver a acusação semelhante por Marcos Aurélio, *Meditações* 11.3. Quanto a um estudo excelente das acusações pagãs contra o cristianismo, ver, especialmente, Jakob Engberg, *Impulsore Chresto: Opposition to Christianity in the Roman Empire c. 50-250 AD*, trad. Gregory Carter, Early Christianity in the Context of Antiquity 2 (Frankfurt am Main: Peter Lang GmbH, 2007).

26 Quanto à data, ver Trevett, *Study of Ignatius of Antioch*, 3-9.

27 Inácio, *Romanos* 10.2. Policarpo, em sua única carta existente, menciona os nomes de dois destes prisioneiros, Zózimo e Rufo. *Aos Filipenses* 9.1.

28 Inácio, *Romanos* 5.1. Esta é a ocorrência mais antiga da palavra que se refere a leopardo no grego. Ver D. B. Saddington, "St. Ignatius, Leopards, and the Roman Army", *Journal of Theological Studies* 38 (1987): 411.

No entanto, há certas dificuldades no que concerne aos detalhes de sua prisão. Visto que Inácio estava a caminho de Roma para execução, isso poderia sugerir que ele era um cidadão romano, porque o direito de um cidadão romano de ser julgado pelo imperador era, nesta altura da história romana, um direito estabelecido firmemente.[29] Todavia, alguns eruditos modernos têm perguntado por que, se ele era um cidadão, disse que esperava encontrar "fogo, cruz e feras",[30] quando chegasse a Roma, visto que se acredita que essas formas de punição não eram usadas na execução de cidadãos naquele tempo.[31] Em geral, a punição romana era mensurada para harmonizar-se com o status social do criminoso, e não com a natureza do crime. Nas palavras de Ramsey MacMullen, "tudo dependia do status".[32] Portanto, ser decapitado ou a oportunidade de cometer suicídio eram as principais formas de execução para os cidadãos de classe alta do império que tinham cometido uma ofensa capital. Entretanto, outros que não eram cidadãos e pertenciam às classes inferiores, seriam expostos a uma grande variedade de violência horrível, incluindo morrer queimado, ser forçado a beber chumbo derretido, ser crucificado, ser espancado até à morte ou ser maltratado por cães ou animais ferozes até à morte.[33] Mas, como Peter Garnsey e MacMullen ressaltaram, cidadãos das classes inferiores podiam também ser expostos a essas formas de punição, especialmente à medida que o século II se passava.[34] Isso daria a entender que, embora Inácio fosse um cidadão romano, ele podia ter vindo de classes inferiores.

---

29 F. F. Bruce, *The Book of Acts*, rev. ed. (Grand Rapids: Eerdmans, 1988), 453-54, 454 n. 11. Compare com Plínio, *Cartas 10.96.3-4*, que também menciona enviar cristãos presos a Roma para serem julgados.

30 Inácio, *Romanos* 5.3, em Staninforth, *Early Christian Writtings*, 87.

31 Trevett, *Study of Ignatius of Antioch*, 5

32 Ramsey MacMullen, "Judicial Savagery in the Roman Empire", *Chiron* 16 (1986): 147.

33 Quanto à variedade de punições, ver ibid., 147-66. A respeito das punições às quais os cristãos eram submetidos, ver Elaine H. Pagels, "Gnostic and Orthodox Views of Christ's Passion: Paradigms for the Christian's Response to Persecution?", em *The Rediscovery of Gnosticism*, vol. 1, *The School of Valentinus*, ed. Bentley Layton (Leiden: E. J. Brill, 1980), 266-70.

34 Peter Garnsey, "Legal Privilege in the Roman Empire", *Past and Present* 41 (December 1968): 3-24; MacMullen, "Judicial Savagery in the Roman Empire", 149-53. Ver também o estudo mais amplo escrito por Peter Garnsey, *Social Status and Legal Privilege in the Roman Empire* (Oxford: Clarendon, 1970); e Elizabeth A. Castelli, *Martyrdom and Memory: Early Christian Culture Making* (New York: Columbia University Press, 2004), 39-41.

A estrada pela qual Inácio viajou, a principal estrada que atravessava o sul da Ásia Menor, seguia em direção a oeste e passava por Éfeso, onde os viajantes, neste caso, os prisioneiros, tomariam um navio a fim de irem diretamente para a Itália ou, subindo a costa, para Trôade. Perto de Laodiceia, seus guardas viraram para o norte e para o oeste, seguindo para Filadélfia e, depois, Esmirna, onde parece que Inácio ficou por algum tempo. Policarpo, designado recentemente bispo de Esmirna, procurou atender às necessidades de Inácio em sua chegada àquela cidade. Quando chegou a Esmirna, havia também representantes de três outras igrejas que tinham vindo encontrar-se com ele. Damas, o bispo da igreja em Magnésia, junto ao rio Meandro, tinha vindo com dois presbíteros de sua igreja, Basso e Apolônio, e um diácono, Zócion.[35] De Trales veio o bispo Políbio,[36] e de Éfeso, vários líderes: Onésimo, o bispo, um diácono chamado Birrus, Crocus, Euplus e Fronto.[37]

Foi em Esmirna que Inácio escreveu a carta à igreja de Roma.[38] Esta carta contém o âmago de suas reflexões sobre o martírio. Esta é a única carta de Inácio que é datada. Ele a escreveu, como disse aos crentes romanos, no nono dia antes das calendas de setembro, ou seja, 24 de agosto.[39] Obviamente, uma data foi incluída porque ele queria dar à igreja em Roma alguma ideia acerca de quando esperá-lo.[40] Não muito depois de escrever esta carta à igreja em Roma, o bispo de Antioquia deixou Esmirna e seguiu para Trôade. Esta etapa da viagem de Inácio não é clara; os soldados o levaram a Trôade ou por estrada ou por um navio, que teria navegado próximo à costa. Estamos incertos a respeito de quanto tempo eles permaneceram em Trôade.[41] No entanto, Inácio pôde escrever dali, mais três cartas: as cartas às igrejas de Filadélfia e

---

35 Inácio, *Magnésios* 2.
36 Inácio, *Tralianos* 1.1.
37 Inácio, *Efésios* 1.3-2.1. Tem sido argumentado que Onésimo não é outro senão o escravo Onésimo mencionado na carta de Paulo a Filemon. O nome, porém, era um nome comum; é improvável que seja a mesma pessoa. Ver William R. Schoedel, *Ignatius of Antioch: A Commentary on the Letters of Ignatius of Antioch*, ed. Helmut Koester (Philadelphia: Fortress, 1985), 43-44.
38 Inácio, *Romanos* 10.1.
39 Inácio, *Romanos* 10.3.
40 Virginia Corwin, *St. Ignatius and Christianity in Antioch* (New Haven, CT: Yale University Press, 1960), 14-17.
41 Ibid., 17.

Esmirna e, por último, uma carta dirigida a Policarpo, o homem que o assistiu em Esmirna.[42]

Os soldados romanos e seu prisioneiro cristão parecem ter deixado Trôade com um pouco de pressa e seguiram viagem para Neápolis, na Macedônia.[43] Dali, eles teriam passado por Filipos e Dirraquio, naquilo que hoje é a costa do mar Adriático.[44] De Dirraquio, eles devem ter tomado outro navio para Brundisium, na Itália, e, depois, por terra, seguiram para Roma. Nesta altura, uma cortina se lança sobre os acontecimentos históricos, e nada mais sabemos com certeza a respeito da carreira terrena de Inácio, exceto a notícia de Policarpo à igreja em Filipos informando que ele fora martirizado, talvez em Roma.[45]

A VIAGEM ESPIRITUAL

Quando lemos os comentários de Inácio sobre o martírio, em suas cartas, devemos ter em mente um fato acima de todos. Nas palavras de William C. Weinrich, "Inácio reflete [nas cartas] sobre o *seu próprio* martírio vindouro".[46] Isso explica a natureza fervorosa de algumas de suas afirmações. Também significa que não devemos entender estas cartas como uma teologia sistemática sobre o martírio.[47] Inácio fala para si mesmo e a respeito de si mesmo. Outra vez, Weinrich comenta: "O que ele diz, ele o diz sobre si mesmo como alguém que está indo para a morte porque é um cristão".[48]

Parecia que Inácio estava ciente de que certos indivíduos na comunidade cristã de Roma, que procediam de círculos sociais elevados em Roma,

---

42 Inácio, *Filadelfos* 11.2; *Esmirneanos* 12.1; *Policarpo* 8.1.
43 Inácio, *Policarpo* 8.1.
44 Quanto à menção de Inácio passando por Filipos, ver Policarpo, *Aos Filipenses* 1.1.
45 Corwin, *St. Ignatius and Christianity in Antioch*, 18. Quanto à notícia sobre a morte de Inácio, ver Policarpo, *Aos Filipenses* 9.1.
46 William C. Weinrich, *Spirit and Martyrdom: A Study of the Work of the Holy Spirit in Contexts of Persecution and Martyrdom in the New Testament and Early Christian Literature* (Washington, DC: University Press of America, 1981), 115. Este é um excelente estudo sobre o pensamento dos primeiros cristãos quanto à pneumatologia do martírio. Sou profundamente devedor a muitos dos discernimentos de Weinrich.
47 Williams, *Christian Spirituality*, 14.
48 Weinrich, *Spirit and Martyrdom*, 115-16.

tinham "conexões" e influência política que poderiam exercer para livrá-lo.[49] Se Inácio não disse nada a esses crentes para dissuadi-los de usar sua influência, ele temia que pudessem tentar livrá-lo e fossem bem sucedidos neste empreendimento. Visto que Inácio não queria isso (pelas razões detalhadas em seguida), ele decidiu falar. "O que me enche de temor", Inácio disse a esses crentes que tinham influência política em Roma, "é o próprio sentimento bondoso de vocês para comigo". Poderia ser fácil eles intervirem para que Inácio fosse liberto, mas isto somente tornaria mais difícil para ele "chegar a Deus". Por isso, ele exortou os cristãos romanos: "Mantenham os lábios fechados". Se eles fizessem isso, então capacitariam Inácio a se tornar "uma mensagem de Deus".[50] Em outras palavras, o silêncio dos crentes de Roma significaria que Inácio, por seu martírio, poderia proclamar ao mundo a sinceridade de sua fé. A afirmação de Inácio de ser um cristão seria, então, vista como mais do que meras palavras. Seria comprovada por obras – neste caso, o ato de martírio.[51] A comprovação da fé de Inácio seria revelada por seu morrer bem.

Em descrever como desejava que os crentes romanos agissem, Inácio revelou a convicção de que via seu martírio não como um acontecimento isolado, e sim como um acontecimento que envolvia toda a igreja de Roma.[52] Os crentes romanos não eram apenas espectadores que esperavam permitir algo acontecer. Tanto Inácio como os crentes romanos tinham de escolher viver as implicações do amor a Cristo ou desejar o mundo. Assim, ele lhes disse:

> A esperança do príncipe deste mundo é apoderar-se de mim e destruir minha resolução, fixada em Deus. Que nenhum de vocês lhe preste qualquer ajuda, mas, em vez disso, que se posicione ao meu lado, pois este é o lado de Deus. Não tenham Jesus em seus lábios e o mundo em seu coração. Não permitam que a inveja tenha lugar

---

49 Corwin, *St. Ignatius and Christianity in Antioch*, 18; Peter Lamp. *From Paul to Valentinus: Christians at Rome in the First Two Centuries*, trad. Michael Steinhauser, ed. Marshall D. Johnson (Minneapolis: Fortress, 2003), 88-89.
50 Inácio, *Romanos* 1.2-2.1, em Staniforth, *Early Christian Writings*, 85.
51 Inácio, *Romanos* 2. Ver também Schoedel, *Ignatius of Antioch*, 171.
52 Weinrich, *Spirit and Martyrdom*, 134-35.

entre vocês. Ainda que eu vá e implore em pessoa, não cedam ao meu apelo. Em vez disso, mantenham sua submissão a este apelo escrito.[53]

Para os crentes romanos, capacitar Inácio a atingir sua chamada ao martírio significava, em um sentido bem real, compartilhar daquele sofrimento com ele.[54]

No entanto, havia outro pedido. Inácio sabia que ele não era um super-homem. Ele era um homem com uma imaginação vívida que podia imaginar o tipo de morte que o esperava em Roma. Como ele disse antes em sua carta:

> Permitam-me ser uma refeição para as feras, pois são elas que podem me proporcionar um caminho para Deus. Eu sou o trigo de Deus, bem moído pelos dentes dos leões para tornar-me pão mais puro... Fogo, cruz, luta com feras, cortes e esquartejamento, fragmentação de ossos e mutilação de membros, até a trituração de todo o meu corpo – permitam que todo tormento horrível e diabólico venha sobre mim, contanto que eu ganhe meu caminho para Jesus Cristo![55]

Inácio tinha receio de que, pelo menos, sua coragem falhasse e de que ele pediria aos crentes romanos que o livrassem. Por isso, ele lhes disse, "não me ouçam se isso acontecer: Ainda que eu vá e implore em pessoa, não cedam ao meu apelo. Em vez disso, mantenham sua submissão a este apelo escrito".[56] Por causa de seus temores, é compreensível que ele tenha pedido aos crentes romanos que orassem em seu favor. "A única coisa que lhes peço em meu favor", ele rogou, "é que força interior e força exterior suficientes me sejam dadas para eu ser tão resoluto em vontade como em palavras". Outra vez, perto do final da carta, Inácio lhes suplicou: "Intercedam por mim, para que meu desejo

---

53 Inácio, *Romanos* 7.1-2, em Staniforth, *Early Christian Writings*, 87.
54 Inácio, *Romanos* 6; Weinrich, *Spirit and Martyrdom*, 135-36.
55 Inácio, *Romanos* 4.1; 5.3, em Staniforth, *Early Christian Writings*, 86, 87.
56 Inácio, *Romanos* 7.2, em Staniforth, *Early Christian Writings*, 87.

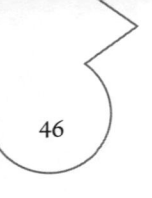

se cumpra".⁵⁷ O pedido de Inácio por oração em favor de perseverança evidencia a compreensão de que a verdadeira fé se mostra genuína somente onde há persistência.⁵⁸

MARTÍRIO COMO IMITAÇÃO E RENÚNCIA

Por que ele estava disposto a morrer? Primeiramente, Inácio estava certo de que seu martírio agradaria a Deus. Ele declarou com confiança sobre o seu desejo de morrer por Cristo: "Não estou escrevendo como um mero homem, mas estou ecoando a mente de Deus".⁵⁹ O uso dos genitivos em sua descrição de si mesmo como "trigo de Deus" e "pão mais puro para Cristo"⁶⁰ revela a sua consciência de que "Deus é o autor do martírio". Consequentemente, ele tem de se agradar com aqueles que morrem por causa de sua fé em Cristo.⁶¹

Por que exatamente o martírio de Inácio agradaria a Deus? Antes de tudo, ele o concebia como uma imitação da morte de Cristo. "Permitam-me imitar a paixão de meu Deus", ele disse em um momento.⁶² Se Deus, o Pai, se agradou com a morte de seu Filho por pecadores, a morte de Inácio por sua fé em Cristo seria também agradável a Deus. Assim como a morte de Cristo foi uma morte em que lhe fizeram violência, mas ele não revidou,⁶³ assim também seria a morte de Inácio, o imitador da paixão. Weinrich observa acertadamente que não há o menor indício de que a morte de Inácio tenha qualquer valor salvífico para outros, como o tem a morte de Cristo.⁶⁴

---

57 Inácio, *Romanos* 3.2; 8.3, em Staniforth, *Early Christian Writings*, 86, 88.
58 Ver Vanhooze, *First Theology*, 368.
59 Inácio, *Romanos* 8.3, em Staniforth, *Early Christian Writings*, 88. Ver também *Romanos* 2.1, onde Inácio exorta a igreja de Roma a deixar que seu martírio aconteça: "Não é a homens que quero agradar, e sim a Deus". Em Staniforth, *Early Christian Writings*, 85.
60 Inácio, *Romanos* 4.1, em Staniforth, *Early Christian Writings*, 86.
61 Weinrich, *Spirit and Martyrdom*, 115.
62 Inácio, *Romanos* 6.3, em Staniforth, *Early Christian Writings*, 87.
63 Ver, por exemplo, 1 Pedro 2.21-23.
64 Weinrich, *Spirit and Martyrdom*, 112-13. Weinrich comenta: "É... bastante duvidoso que Inácio tenha concebido seu martírio como sacrificial e vicário em favor de seus irmãos em Cristo" (113). Compare isto com Frend, *Martyrdom and Persecution in the Early Church*, 199.

Vale a pena ressaltar a cristologia elevada de Inácio no texto que acabamos de citar. Ao referir-se a Cristo como "Deus", Inácio esperava que os cristãos em Roma fossem familiarizados com uma cristologia elevada e se sentissem à vontade com ela.[65] Além disso, este texto dá testemunho de uma maneira comum pela qual os primeiros teólogos cristãos falavam sobre Cristo: Inácio atribuiu a uma única e mesma pessoa, Jesus Cristo, características divinas e humanas. Por exemplo, Jesus é descrito como Deus, mas também se diz que ele sofreu. Esta mudança de atributos divinos e humanos era possível somente porque eles eram predicados a um único sujeito.[66] Por isso, Inácio podia dizer sobre Cristo:

> *Há apenas um único Médico –*
> *Própria carne, mas espírito também;*
> *Não criado e, apesar disso, nascido;*
> *Deus e Homem unidos em Um só;*
> *De fato, a própria Vida na Morte,*
> *O fruto de Deus e o filho de Maria;*
> *Ao mesmo tempo, impassível e ferido*
> *Por dor e sofrimento neste mundo;*
> *Jesus Cristo, que conhecemos como nosso Senhor.*[67]

O martírio era também, para Inácio, a expressão e a culminação da renúncia do mundo. Como ele disse: "Todos os confins da terra, todos os reinos do mundo não têm qualquer proveito para mim; no que diz respeito a mim, morrer em Jesus Cristo é melhor do que ser um monarca das mais amplas fronteiras da terra".[68] O martírio destacava vividamente um tema que fazia

---

65 Ver, também, os seguintes textos em que Inácio descreveu Cristo como Deus: *Romanos*, Saudação, 6.3; *Efésios*, Saudação, 1.1, onde ele se refere ao "sangue de Deus", e 18.2; *Esmirneanos* 1.1.

66 Aloys Grillmeier, *Christ in Christian Tradition*, vol. 1, *From the Apostolic Age to Chalcedon* (451), trad. John Bowden, 2nd ed. (Atlanta: John Knox, 1975), 89; Thomas Weinandy, "Ignatius of Antioch", em *The New Lion Handbook: The History of Christianity* (Oxford: Lion Hudson, 2007), 51.

67 Inácio, *Efésios* 7.2, em Staniforth, *Early Christian Writings*, 63.

68 Inácio, *Romanos* 6.1, em Staniforth, *Early Christian Writings*, 87. Frend vê nesta afirmação um eco da afirmação de Paulo em Filipenses 1.21: "Para mim, o viver é Cristo, e o morrer é lucro" (*Martyrdom and Persecution in the Early Church*, 198). Sobre este tema de martírio e renúncia, ver David A. Lopez, *Separatist Christianity: Spirit and Matter in the Early Church Fathers* (Baltimore: John Hopkins University Press, 2004), 74-78.

parte da convicção e do ensino cristão naqueles primeiros séculos: o mundo, neste caso o mundo do Império Romano, não era um amigo nem da igreja nem de Deus.[69] Todavia, é curioso, como Fend ressalta, o fato de que, à parte da referência aos soldados que o guardavam como "leopardos selvagens", Inácio não fala nada, diretamente, sobre o império.[70]

Uma das mais poderosas evocações de Inácio quanto ao tema de renúncia está na seguinte declaração da carta à igreja de Roma: "Os desejos terrenos [*ho emos ērōs*] foram crucificados e em mim não resta qualquer chama de desejo por coisas mundanas, mas apenas um murmúrio pela água viva que sussurra dentro de mim: Vem ao Pai".[71] A referência à "água viva", neste trecho, é quase definitivamente uma alusão às palavras de Jesus registradas em João 7.37-39, que comparam o Espírito Santo a "rios de água viva".[72] Era o Espírito que falava dentro de Inácio: "Vem ao Pai". O Espírito falava num contexto de crucificação: a morte dos "desejos terrenos" de Inácio, de acordo com o texto que acabamos de citar.[73] A expressão "desejos terrenos" significa, literalmente, "meu amor".[74] Um século depois de Inácio, o grande exegeta alexandrino Orígenes iniciou uma longa tradição de interpretação deste texto de Inácio, quando comentou que "um dos santos, chamado Inácio, disse sobre Cristo: 'Meu amor foi crucificado'".[75] Orígenes prosseguiu e disse que achava estranho Inácio usar o vocábulo *ērōs* para falar de Cristo, mas afirmou que não estava disposto a censurá-lo por isso.

---

69 Quanto a maior discussão deste tema, ver Lopez, *Separatist Christianity*.

70 Frend, *Martyrdom and Persecution in the Early Church*, 200. Quanto a referência aos soldados, ver Inácio, *Romanos* 5.1.

71 Inácio, *Romanos* 7.8, em Staniforth, *Early Christian Writings*, 87.

72 Ver, também, a ligação do Espírito com a água em Apocalipse 22.1-2, 17. Ver os comentários de Schoedel, *Ignatius of Antioch*, 185; Hening Paulsen, *Die Brief des Ignatius von Antiochia und der Brief des Polykarp von Smyrna* (Tübingen: Mohr Siebeck, 1985), 77.

73 Similarmente, Schoedel, *Ignatius of Antioch*, 181: "Meus desejos".

74 Por exemplo, J. H. Srawley, *The Epistles of St. Ignatius Bishop of Antioch*, 3rd ed. (London: Society for Promoting Christian Knowledge, 1919), 78; Paulsen, *Die Brief des Ignatius von Antiochia*, 76: "Meine Liebe".

75 *Commentary on the Song of Songs*, prolog 2, em Origen: *The Song of Songs Commentary and Homilies*, trad. R. P. Lawson, Ancient Christian Writers 26 (Westminster, MD: Newman, 1957), 35. Quanto a outro exemplo de época posterior, ver Samuel Pearce, "Lines written on the works of Ignatius, 'My Love is Crucified'", em Andrew Fuller, *Memoirs of the Rev. Samuel Pearce, A. M.*, ed. W. H. Pearce (London: G. Wightman, 1831), 223-25. Pearce (1766-1799), um pastor batista calvinista inglês, entendeu claramente as palavras de Inácio como uma referência a Cristo. Quanto a Orígenes, ver capítulo 4.

No entanto, além do fato de que o vocábulo *ēros* não é usado, de modo algum, no Novo Testamento, o que eu penso não ser relevante, o contexto da afirmação de Inácio parece exigir que ela seja entendida como "desejos terrenos". O uso da conjunção "e" coloca a expressão "desejos terrenos" no mesmo nível da cláusula "em mim não resta qualquer chama de desejo por coisas mundanas".[76] Em outras palavras, a "água viva", o Espírito, havia apagado o fogo da "paixão terrena" e exortava Inácio a ir "ao Pai".[77] Assim, o Espírito estava levando Inácio ao Pai por meio do martírio, e este levar envolvia o morrer para todos os desejos terrenos. Esta passagem reflete tanto o entendimento perspicaz da oposição do Espírito aos "desejos terrenos"[78] como a consciência de que o martírio era, num sentido, um dom do Espírito.

O MARTÍRIO COMO UM DOM DO ESPÍRITO

Embora a igreja desaprovasse que as pessoas se voluntariassem para o martírio,[79] há vários textos cristãos do século II que mostram a consciência de que o martírio era uma chamada, um dom (*charisma*), do Espírito, que o usaria para edificar o corpo de Cristo. A carta de Inácio aos romanos é, certamente, a passagem-chave neste respeito. Outra passagem é uma afirmação de um editor, de fala latina, do diário de prisão da mártir Víbia Perpétua, do início do século III. Presa em Cartago e martirizada subsequentemente naquela cidade, com diversos outros cristãos, na primavera de 203, Perpétua manteve um diário enquanto esteve na prisão. Um editor posterior – alguns têm sugerido o norte-africano Tertuliano – o publicou, juntamente com outro diário das mãos de outro mártir, Saturus, contendo uma introdução editorial e uma conclusão. Na introdução, lemos as seguintes palavras:

---

76 Quanto a este ponto, sou devedor ao meu bom amigo Dr. Benjamin Hegeman, que agora reside em Houghton, no estado de Nova Iorque.

77 P. Th. Camelot, trad. *Ignace d'Antioche, Polycarpe de Smyrne: Lettres, Martyre de Polycarpe*, 3dr ed. (Paris: Les Éditions du Cerf, 1958), 134-35 n. 1; Brown, *Gospel and Ignatius of Antioch*, 109.

78 De modo semelhante, J. B. Lightfoot traduz esta frase por "minhas paixões terrenas foram crucificadas", em *The Apostolic Fathers: Clement, Ignatius, and Polycarp*, 2nd ed. (repr. Grand Rapids: Baker, 1981), 2/2:222. Ver também os comentários de Castelli, *Martyrdom and Memory*, 81, 83.

79 *The Martyrdom of Polycarp* 4.

Os feitos relatados sobre a fé nos tempos antigos foram uma prova do favor de Deus e, também, produziram o fortalecimento espiritual de homens; e eles foram colocados na forma escrita precisamente para que honra seja dada a Deus e conforte os homens pela lembrança do passado, por meio da palavra escrita. Não deveriam ser estabelecidos exemplos mais recentes que contribuíssem igualmente para ambos os propósitos? Pois, de fato, estes também se tornarão, um dia, antigos e necessários para as eras vindouras, embora em nossos próprios dias desfrutem de menos prestígio por causa da reivindicação de antiguidade dos feitos anteriores.

Considerem isto aqueles que restringem o poder do Espírito a tempos e situações: os eventos mais recentes devem ser considerados os maiores, sendo mais próximos do que os do passado, e isto é uma consequência das graças extraordinárias prometidas para o último período do tempo. Pois, "nos últimos dias, diz o Senhor, derramarei o meu Espírito sobre toda a carne; e seus filhos e suas filhas profetizarão, e sobre os meus servos e sobre as minhas servas derramarei o meu Espírito, e os jovens terão visões, e os velhos terão sonhos". Por isso, também honramos e reconhecemos não somente as novas profecias, mas também as novas visões, de acordo com a promessa. E consideramos todas as outras funções do Espírito Santo como intencionadas para o bem da igreja; pois o mesmo Espírito foi enviado para distribuir todos os seus dons a todos, como o Senhor reparte a cada um.[80]

Alguns têm argumentado que este texto procede de círculos influenciados pelo montanismo, um movimento do final do século II que defendia novas revelações da parte de Deus, especialmente em relação a questões mo-

---

80 *The Martyrdom of Saints Perpetua and Felicitas* 1.1-5, em *The Acts of the Christian Martyrs*, trad. Herbert Musurillo (Oxford: Clarendon, 1972), 107. Quanto a uma discussão sobre este relato, ver, especialmente, Brent D. Shaw, "The Passion of Perpetua", *Past and Present* 139 (May 1993): 3-45.

rais.[81] Seja como for, esta citação inclui claramente o martírio cristão entre as "funções do Espírito Santo... intencionadas para o bem da igreja".

Se alguém perguntar que referências bíblicas ensinam este entendimento do martírio, uma passagem como 1 Coríntios 13.1-3 logo nos vem à mente. Nesta passagem, o apóstolo Paulo argumenta que os dons do Espírito – como os dons de línguas e de profecia – que são usados sem o poderoso motivo de amor, não têm valor. Entre os dons que ele menciona, está o dar espontaneamente a vida por meio de fogo; isso significa claramente que, na mente de Paulo, o martírio deve ser categorizado entre os *charismata*, os dons do Espírito Santo.

O MARTÍRIO E O SER UM DISCÍPULO

Em um estudo importante sobre Inácio como mártir e discípulo cristão, Daniel N. McNamara comenta que, nas cartas de Inácio, o bispo de Antioquia fala sobre o "ser discípulo" em duas maneiras diferentes. Primeiramente, ele expressa a esperança de que será "achado um discípulo" em sua confrontação com a morte, como um mártir. McNamara entende que Inácio, ao dizer isso, estava afirmando que "esperava que sua confrontação final com a morte seria achada coerente com sua confissão de fé em Cristo". Em um segundo entendimento do que significa ser um discípulo cristão, a ênfase é colocada sobre a devoção do cristão ao Senhor Jesus.[82]

Para Inácio, o martírio era claramente uma maneira de expressar sua devoção pessoal a Cristo e sua rejeição ao mundo. Mas ele estava cônscio de que havia outros caminhos a serem seguidos como discípulo. Por exemplo, sua exortação para que os crentes de Roma expressassem sua devoção a Cristo por permitir que ele morresse como mártir indica claramente uma consciência de

---

81 Sobre o montanismo, ver especialmente Ronald E. Heine, *The Montanist Oracles and Testimonia*, Patristic Monograph Series 14 (Macon, GA: Mercer University Press, 1989); e William Tabbernee, *Prophets and Gravestones: An Imaginative History of Montanists and Other Early Christians* (Peabody, MA: Hendrickson, 2009).

82 Daniel N. McNamara, "Ignatius of Antioch on His Death: Discipleship, Sacrifice, Imitation" (PhD diss., McMaster University, 1977), 247.

que o seu caminho de discipulado e o deles não eram idênticos. Embora Inácio tenha visto o martírio como o caminho mais estreito pelo qual ele devia andar, não negava o fato de que há outros caminhos que outros discípulos têm de seguir.[83] Neste respeito, é importante observar que ele não exortou nenhum dos crentes em Roma, nem, quanto a este assunto, qualquer de seus correspondentes a unir-se a ele como mártir. Obviamente, Inácio não via o martírio como sendo essencial ao discipulado.[84]

O MARTÍRIO E A DEFESA DA FÉ

Um aspecto final do pensamento de Inácio sobre seu martírio é a maneira como ele acreditava que o martírio formava um baluarte contra uma espécie de ensino falso que ameaçava a unidade de, pelo menos, duas das igrejas para as quais ele estava escrevendo, ou seja, as igrejas em Esmirna e em Trales. Presentes até durante os dias dos apóstolos,[85] os proponentes desta perspectiva, conhecida como docetismo, negavam a morte de Cristo e afirmavam que os sofrimentos de Cristo "não foram genuínos".[86] Inácio usou o que estava se tornando uma palavra técnica para descrever estes oponentes teológicos do ensino cristão fundamental: eles haviam abraçado "heresia" (*hairesis*).[87] Além disso, de acordo com Inácio, aqueles que haviam abraçado este ensino falso não viviam de maneira piedosa, pois tinham rompido com a igreja, recusando-se a participar da Ceia do Senhor ou a orar junto com a igreja.[88] Embora o docetismo não fosse uma parte ou parcela de cada variação de heresia do século II, ele podia ser achado numa diversidade considerável de documentos heréticos daquele período. Por exemplo, no texto do século II da

---

83 Corwin, *St. Ignatius and Christianity in Antioch*, 254-55.
84 Frend, Martyrdom and Persecution in the Early Church, 198. Ver também, neste respeito, a exortação de Inácio a Policarpo, em *Policarpo* 2.
85 Ver, por exemplo, no Novo Testamento: 1 João 4.1-3; 2 João 7-11.
86 Inácio, *Tralianos* 9-11.
87 Ver Inácio, *Tralianos* 6.1. Ele também usou a expressão "ensino de falsidade" (*heterodoxountas*) em referência a esta perspectiva (Inácio, Aos Esmirneanos 6.2). É interessante que ele foi o único autor cristão do século II a usar esta expressão. Ver Brown, *The Gospel and Ignatius of Antioch*, 174-75.
88 Inácio, *Esmirneanos* 6-7.

Epístola de Pedro a Filipe, afirma-se que "Jesus é um estranho ao... sofrimento". Em outro texto semelhante, no *Primeiro Apocalipse de Tiago*, atribui-se uma afirmação a Cristo que diz: "Eu nunca sofri de modo nenhum".[89]

Ora, na carta à igreja em Esmirna, Inácio fez uma poderosa conexão entre sua própria morte e a de Cristo. Ele escreveu que Cristo foi "verdadeiramente perfurado pelos cravos em sua carne humana" e "sofreu verdadeiramente". Era, portanto, necessário confessar, em oposição aos hereges, que "a paixão de Cristo não foi uma ilusão irreal".[90] Tampouco a ressurreição física de Cristo foi uma ilusão. "De minha parte", declarou Inácio, "sei e creio que ele esteve em verdadeira carne humana, mesmo depois de sua ressurreição". Inácio achou provas para esta declaração nos relatos da ressurreição em Lucas 24, onde Cristo apareceu aos seus discípulos, confrontou sua incredulidade e instou a que comessem e bebessem com ele.[91]

Se os docetistas estavam certos, e toda a vida de Jesus foi apenas uma ilusão, então, Inácio declarou com sarcasmo mordaz: "Estas minhas cadeias também são ilusórias!"[92] Do ponto de vista do docetismo, se Cristo não sofreu realmente, seguir aquele caminho de sofrimento não tinha sentido para qualquer de seus discípulos. O martírio não era, portanto, uma característica distintiva das comunidades docetistas.[93] Mas o sofrimento de Cristo foi real e isto validava o sofrimento físico de seu povo. Inácio continuou:

> Com que propósito eu me rendi ao perigo, por fogo, ou espada, ou feras selvagens? Apenas porque, quando estou perto da espada, estou perto de Deus; e, quando estou cercado por leões, estou cercado por

---

89 Ambos os textos são citados por Guy G. Stroumsa, "Christ's Laughter: Docetic Origins Reconsidered", *Journal of Early Christian Studies* 12 (2004): 272.

90 Inácio, *Esmirneanos* 1.2-2, em Staniforth, *Early Christian Writings*, 101.

91 Inácio, *Esmirneanos* 3.1-2, em Staniforth, *Early Christian Writings*, 101. Quanto aos docetistas em Esmirna, ver também Sumney, "The Opponents of Ignatius of Antioch", 349-53; Isacson, *To Each Their Own Letter*, 158-59.

92 *Esmirneanos* 3.1-2, em Staniforth, *Early Christian Writings*, 102. Ver também *Tralianos* 9-10.

93 Ver as referências em Pagels, "Gnostic and Orthodox Views of Chirst's Passion", 265-71. Precisamos observar que houve poucos gnósticos que parecem ter afirmado os sofrimentos físicos de Cristo e, por conseguinte, o valor do martírio; ver ibid., passim; Heikki Räisänem, "Marcion", em *A Companion to Second-Century Christian "Heretics"*, ed. Antii Marjanen and Peter Luomanen (Leiden: E. J. Brill, 2005), 100-124.

Deus. Mas é somente no nome de Jesus Cristo e por causa de compartilhar seus sofrimentos que eu posso enfrentar tudo isso; pois ele, o Homem perfeito, me dá forças para fazer isso.[94]

O martírio de Inácio foi uma poderosa defesa da realidade salvífica da encarnação e da crucificação. Em sofrer uma morte violenta, Inácio estava confessando que seu Senhor tinha sofrido realmente uma morte violenta e, por meio dela, trazido salvação à humanidade perdida. A confissão era tão importante, tão central à ortodoxia cristã, que era digna de alguém morrer por ela. E, em nossos dias, quando os cristãos estão sendo martirizados ao redor do mundo, a confissão de Inácio não deve ser esquecida.

---

94 *Esmirneanos* 4.2, em Staniforth, *Early Christian Writings*, 102.

CAPÍTULO 3

COMPARTILHANDO A VERDADE

A *Epístola a Diogneto*

Estamos no verdadeiro, em seu Filho, Jesus Cristo.
Este é o verdadeiro Deus e a vida eterna.
1JOÃO 5.20

Em sua maior parte, os escritos da época do Novo Testamento, bem como aqueles escritos no período imediatamente seguinte, as obras dos chamados pais apostólicos, se preocupavam com estabelecer a fé e a disciplina das comunidades cristãs. São obras dirigidas geralmente àqueles que faziam parte do rebanho cristão. Todavia, depois do ano 150, há uma mudança notável na orientação da literatura cristã. Há, neste ponto, uma ênfase significativa no que chamamos de apologética, ou seja, a apresentação de razões para se apegar à fé cristã, a tentativa de responder ao escárnio e às objeções dos incrédulos, e o ataque em cosmovisões alternativas no mundo greco-romano, expondo suas inconveniências e problemas para a fé.

Uma das apologias mais atraentes do século II é a *Epístola a Diogneto*, uma defesa vigorosa e estimulante da verdade da cosmovisão cristã.[1] De fato, Avery Dulles, em sua obra *History of Apologetics* (História da Apologética), descreve esta epístola como "a pérola da apologética cristã primitiva".[2] Ela procede da fé jubilosa de um homem que está admirado com a revelação do amor de Deus em seu Filho e que procura persuadir um pagão greco-romano chamado Diogneto a fazer um compromisso com a fé cristã.

Quanto à pessoa que escreveu este maravilhoso tratado cristão – é realmente mais um tratado do que uma carta – não sabemos quem foi. Do seu grego elegante, pode ser observado que "o autor era um cristão bem instruído, tinha treinamento clássico e considerável habilidade e estilo literário".[3] A identidade de Diogneto, o destinatário, também não é conhecida, embora alguns tenham especulado que ele pode ter sido um dos tutores do imperador-filósofo Marco Aurélio (reinou entre 161-180).[4] E, além do fato de que esta excelente apologia foi escrita dentro dos limites do Império Romano, talvez na parte oeste do império, a localização geográfica exata de seu autor também é desconhecida. No entanto, temos alguma ideia a respeito de sua data. No texto há evidência interna que a colocaria no final do século II.[5]

---

1 Uma boa parte deste capítulo apareceu pela primeira vez no capítulo 1 de meu livro *Defence of the Truth: Contending for the Truth Yesterday and Today* (Darlington, UK: Evangelical Press, 2004). Usado com permissão.
  Quanto a estudos sobre a *Epístola a Diogneto*, ver especialmente Henry G. Meecham, *The Espistle to Diognetus: The Greek Text with Introduction, Translation and Notes* (Manchester: Manchester University Press, 1949); L. W. Barnard, "The Enigma of the Epistle to Diognetus", em *Studies in the Apostolic Fathers and Their Background* (Oxford: Basil Blackwell, 1966), 165-73; Joseph T. Lienhard, "The Christology of the Epistle to Diognetus", *Vigilae Christianae* 24 (1970): 280-89; A. L. Townsley, "Notes for an Interpretation of the Epistle to Diognetus", *Rivista di studi classici* 24 (1976): 5-20; Charles E. Hill, *From the Lost Teaching of Polycarp: Identifying Irenaeus' Apostolic Presbiter and the Author of Ad Diognetum*, Wissenschaftliche Untersuchungen zum Neuen Testament 186 (Tübingen: Mohr Siebeck, 2006); Paul Foster, "The Epistle to Diognetus", *The Expository Times* 118 (2007); 162-68.
2 *A History of Apologetics* (New York: Corpus Instrumentorum; Philadelphia: Westminster Press, 1971), 28.
3 Barnard, "Epistle to Diognetus", 172. Ver também os comentários de J. G. O'Neill, "The Epistle to Diognetus", *The Irish Ecclesiastical Record* 85 (1956): 93. Quanto a uma lista de possíveis autores da epístola, ver Barnard, "Epistle to Diognetus", 171-72. Charles E. Hill argumentou recentemente, mas de modo convincente para este autor, que Policarpo de Esmirna escreveu a Epístola a Diogneto. Ver Hill, *From the Lost Teaching of Polycarp*.
4 Ver a discussão de Dulles, *History of Apologetics*, 28-29.
5 Quanto a esta datação, ver Robert M. Grant, *Greek Apologists of the Second Century* (Philadelphia: Westminster Press, 1988), 178-79. W. S. Walford, *Epistle to Diognetus* (London: James Nisbet, 1908), 7-9, e Barnard, "Epistle to Diognetus", 172-73, datariam-na de não mais tarde do que 140.

Antes de considerarmos com mais atenção esta defesa judiciosa do cristianismo, uma palavra precisa ser dita a respeito das circunstâncias intrigantes pelas quais chegamos a possuir este documento. Devemos nosso conhecimento do texto a um simples manuscrito do século XIII ou XIV que foi descoberto em Constantinopla em 1436. Um erudito italiano chamado Thomas de Arezzo o achou inesperadamente em uma peixaria onde ele jazia debaixo de uma pilha de papéis de embrulho. Há certa dúvida de que ele teria sido usado para embrulhar uma venda se o erudito não o tivesse resgatado! De acordo com o escriba que copiou este manuscrito, ele o tirara de um exemplar bem antigo! O historiador alemão Adolf von Harnack (1851-1930) acreditava que este exemplar era um documento do século VI ou VII.[6] Em algum momento, o manuscrito descoberto na peixaria em Constantinopla chegou às mãos do erudito alemão Johannes Reuchlin (1455-1522), o tio-avô do reformador luterano Phillip Melanchton (1497-1560), e foram feitas pelo menos cinco cópias do manuscrito.[7] Por fim, o manuscrito achou um lar na biblioteca da Universidade de Estrasburgo. Foi bom que se fizeram cópias do manuscrito, pois em 24 de agosto de 1870 a livraria foi totalmente incendiada, quando a artilharia prussiana arrasou a cidade durante a guerra franco-prussiana. Precisamos destacar que a linha de transmissão desta apologia cristã primitiva é típica de todos os livros do mundo antigo: nosso conhecimento deles depende comumente de poucas testemunhas textuais.[8] A única exceção é a Escritura.

Um aspecto adicional do texto do tratado precisa ser mencionado. Há três grandes lacunas no texto: em 7.7, 10.1 e 10.8.[9] A última destas lacunas é a mais séria, pois ocorre no final do tratado, e, por isso, não sabemos como o texto acaba realmente. Em nossas cópias deste texto há dois capítulos adicionais, *Diogneto* 11-12, mas eles não fazem parte da apologia. Eles são uma homilia que celebra o impacto da Palavra viva, o Filho de Deus, na vida da igreja; e, no

---

6 O'Neill, "Epistle to Diognetus", 93-94.

7 Ibid., 94.

8 Simon Price e Peter Thonemam, *The Birth of Classical Europe: A History from Troy to Augustine*, The Penguim History of Europe 1 (London: Allen Lane, 2010), 317-18.

9 Referência à Epístola a Diogneto é de acordo com o capítulo e o versículo. Estou seguindo a divisão de capítulo e versículos de Meecham (*Epistle to Diognetus*).

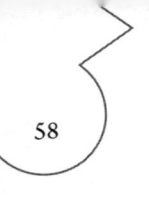

decorrer do tempo, a homilia foi incorporada à obra apologética. É possível que o autor de ambas as seções de Diogneto seja o mesmo, o que explicaria facilmente esta situação.

A INTRODUÇÃO

No primeiro capítulo do tratado, o autor nota que Diogneto está interessado em aprender sobre a fé cristã. De fato, ele tem três perguntas específicas que deseja responder:

> Tenho observado, excelentíssimo Diogneto, o profundo interesse que você tem mostrado para com o cristianismo, bem como as perguntas cuidadosas e precisas que você tem feito sobre ele. Você gostaria de saber em que Deus os cristãos creem e que tipo de adoração eles praticam que os capacita a menosprezar este mundo e a desprezar a própria morte – visto que rejeitam as divindades reverenciadas pelos gregos e negam as superstições professadas pelos judeus. Você está curioso, também, sobre a calorosa afeição fraterna que eles sentem uns pelos outros. Além disso, você está perplexo quanto a por que esta nova raça de homens ou, pelo menos, esta nova maneira de viver chegou às nossas vidas apenas recentemente, em vez de muito antes.[10]

A primeira pergunta é, basicamente, uma inquirição sobre o Deus cristão. Está arraigada no fato de que os gregos e os romanos acusavam regularmente os primeiros cristãos de serem ateístas, porque se recusavam adorar os deuses gregos e romanos. A segunda pergunta – por que os cristãos amam uns aos outros do modo como o fazem – é especialmente digna de observação. Muitos pagãos foram impressionados pela maneira como a igreja antiga era

---

10 Letter to Diognetus 1, em Early Christian Writings, trad. Maxwell Staniforth (1968; repr, Harmondsworth, UK: Penguin, 1987). Há várias traduções da Epístola a Diogneto para o inglês. A tradução de Staniforth é uma das mais legíveis. Daqui para frente esta tradução será referida como Stanifort, *Early Christian Writings*.

uma comunidade de amor, algo muito diferente da experiência de relacionamentos sociais deles mesmos. A pergunta final tem sua base na reverência dos gregos e dos romanos para com a antiguidade.[11] O que era verdadeiro tinha de ser antigo. Se algo era recente, era suspeito.[12] Se o cristianismo era verdadeiro, por que as culturas antigas não o conheceram? A origem recente do cristianismo constituía, assim, um grande pedra de tropeço para a aceitação de suas afirmações da verdade.[13]

É interessante observar o final da sentença desta seção de abertura do tratado. "Peço a Deus", diz o autor cristão, "o Autor tanto do ouvir como do falar, que me dê tal uso da língua, que você possa obter o mais pleno benefício de ouvir-me, e que lhe dê tal uso dos ouvidos, que eu não tenha motivo de arrepender-me de ter falado".[14] Isto é uma oração em favor da conversão de Diogneto. Em outras palavras, o autor admite claramente que abraçar a verdade cristã não pode vir somente da razão. Deus tinha de dar a Diogneto a capacidade de "ouvir" a verdade.

Incidentalmente, esta sentença nos diz algo sobre a importância atribuída à fala na sociedade greco-romana. O autor não escreve sobre "escrever e ler", e sim sobre "falar e ouvir". Este tratado, como muitos outros textos do mundo antigo, incluindo os textos do Novo Testamento, teria sido ditado a um escriba. E, quando era recebido, o recipiente o leria em voz alta, não em silêncio como o faríamos hoje. Havia, de modo não surpreendente, uma profunda preferência pela palavra falada, acima da palavra escrita, na cultura que os cercava, embora isto não fosse verdadeiro quanto à igreja antiga, em geral.[15] Há uma passagem bem conhecida nas *Confissões*, de Agostinho, o grande teólogo norte-africano,

---

11 Ver Price e Thoneman, *Birth of Classical Europe*, passim.

12 Stephen Benko, *Pagan Rome and the Early Christians* (Bloomington: Indiana University Press, 1984), 21-22; Wolfram Kinzig, "The Idea of Progress in the Early Church until the Age of Constantine", em *Studia Patristica*, ed. Elizabeth A. Livingstone (Louvain: Peeters, 1993), 24: 123-25.

13 Ver, também, Theophilus of Antioch, To *Autolycus* 3.4, quanto a esta acusação de novidade.

14 *Letter to Diognetus* 1, em Staniforth, *Early Christian Writings*, 142.

15 Ver Loveday Alexander, "The Living Voice: Scepticism towards the Written Word in Early Christian and Graeco-Roman Texts", em *The Bible in Three Dimensions: Essays on Celebration of Forty Years of Biblical Studies in the University of Sheffield*, ed. David J. A. Clines, Stephen E. Fowl e Stanley E. Porter, Journal for the Study of Old Testament Supplement Series 87 (Sheffield: Sheffield Academic, 1990), 221-47.

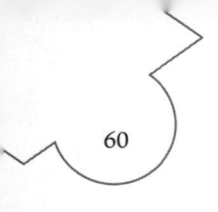

em que ele reconta sua observação dos hábitos de leitura de Ambrósio, o bispo italiano, que fora o instrumento para a sua conversão. O que Agostinho achou mais impressionante foi o fato de que Ambrósio lia silenciosamente para si mesmo. Era óbvio para um observador que o bispo estava lendo, mas ele o fazia de uma maneira bem estranha para os costumes do mundo antigo.[16] Normalmente, quando alguém lia, ele pronunciava as palavras em voz alta.

A TOLICE DA IDOLATRIA GRECO-ROMANA

As primeiras três seções da epístola, depois do capítulo de abertura, contêm um ataque vigoroso contra o paganismo greco-romano e o judaísmo. O paganismo greco-romano é atacado por estar envolvido na tolice de adoração de produtos da imaginação e tecnologia humana (2.1-10). O judaísmo, o autor admite, adora o Deus verdadeiro, mas com um entendimento errado, pois os judeus acham que Deus precisa dos sacrifícios deles (3.3-5). O ataque frontal dirigido contra o paganismo greco-romano é particularmente instrutivo quanto à maneira como a igreja do século II se engajava em defender sua fé numa cultura pluralista.

Os gregos e os romanos eram abertamente politeístas. O universo deles era habitado por inúmeros deuses e espírito divinos. Florestas e campos, casas e locais de trabalho, terra, céu e água eram considerados como se estivessem repletos desses seres. O apóstolo Paulo menciona este entendimento popular do universo em 1 Coríntios 8.5, quando afirma que a cultura grega e romana da época tinha "muitos deuses e muitos senhores", no céu ou na terra. Mas o apóstolo prossegue e diz, no versículo seguinte, que, não importando o que seus contemporâneos gregos e romanos acreditassem, ele e seus irmãos em Cristo estavam certos de que "havia um só Deus, o Pai... e um só Senhor, Jesus Cristo". No que concerne aos deuses romanos e gregos, a igreja antiga reconheceu que eles, conforme as palavras de Paulo, eram "nada no mundo", ou seja, não tinham existência real (1 Co 8.4). Sem dúvida, eles existiam para aqueles que os adoravam, mas, do ponto de vista da realidade, eles simples-

---

16 Agostinho, *Confissões* 6.3.3.

mente não existiam. Como Paulo disse em seu discurso no Areópago, uma defesa clássica da perspectiva cristã sobre a vida, eles eram formados "pela arte e imaginação do homem" (At 17.29).

Servindo-se deste alicerce monoteísta e da análise da idolatria greco-romana, o autor da Epístola a Diogneto procura, primeiramente, mostrar a Diogneto que os deuses e deusas que ele adorava não eram nada mais do que produto da habilidade humana.

> Dê uma boa olhada – com sua inteligência, não apenas com seus olhos – para as formas e substâncias daqueles objetos que você chama deuses e consideram como divinos. Este aqui, por exemplo, não é apenas um bloco de pedra, idêntico às pedras de rua sobre as quais pisamos? Aquele não é feito de bronze, de qualidade não mais excelente do que os objetos comuns que são manufaturados para uso diário? Outro não é de madeira, já apodrecendo e se deteriorando? Outro não é feito de prata e necessita de alguém que o guarde em todo o tempo, por medo de ladrões? Outro não é de ferro, todo cheio de ferrugem, e outro não é de louça, de aparência não melhor do que a dos vasos que as pessoas usam nos propósitos domésticos mais humildes? Todos eles não são feitos de materiais perecíveis? Um deles não foi feito por um lapidador, outro, por um fundidor de latão, um terceiro, por um artífice em prata, um quarto, por um oleiro? E até ao momento em que a habilidade desses artífices lhes deu a forma presente, essa forma não é tão manejável – de fato, tão manejável agora mesmo – que cada um deles pode ser tornado algo bem diferente?... Numa palavra, eles não são, um e todos, nada, senão coisas cegas, mudas, sem vida, sem sentidos, sem movimento, que apodrecem e se deterioram?
>
> Você chama realmente estas coisas de deuses e realmente lhes presta culto? Sim, você as chama, você as adora – e acaba se tornando como elas. Não é porque nós, cristãos, nos recusamos a reconhecer a divindade delas que você nos detesta tanto?[17]

---

17 *Letter to Diognetus* 2.1b-6, em Staniforth, *Early Christian Writings*, 142-43, alterado.

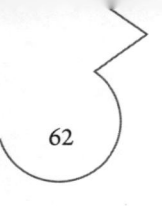

Esta passagem não apenas está em dívida para com as passagens do apóstolo Paulo que já citamos. Ela também retrocede aos textos do Antigo Testamento, tal como Jeremias 10.3-10, que ridiculariza a tolice da idolatria das nações pagãs que estavam ao redor de Israel.[18]

Em seguida, o autor procura arrazoar com seu correspondente pagão. Por rejeitarem sua sociedade idólatra, os cristãos atraíram sobre si o opróbrio de seus patrícios (2.6). Mas, de fato, não são aqueles que adoram estes deuses e deusas os que mais os desrespeitam?

> É certamente uma zombaria e uma afronta para eles o fato de que, quando essas deidades veneradas são feitas apenas de pedra ou barro, vocês as deixam desprotegidas, mas, quando são de prata ou ouro, vocês as fecham toda noite e colocam vigias sobre elas todo o dia, para que não sejam roubadas. E, se elas são realmente dotadas de senso, o tipo de honra que vocês lhes prestam é mais uma humilhação do que um tributo. E, se elas não são dotadas de sensos, vocês as convencem disto quando as adoram com o sangue e a gordura de seus sacrifícios.[19]

O autor nota que poderia dizer muito mais sobre a tolice dos ritos e das opiniões religiosas dos gregos e dos romanos, mas ele acredita que um comentário final será suficiente: "Os cristãos não estão em escravidão a esses deuses" (2.10). Para entender plenamente este comentário final, temos de conservar em mente a discussão de Paulo, em 1 Coríntios, sobre a idolatria de sua época. Como já vimos, Paulo afirmava, antes de tudo, que os deuses gregos e romanos não tinham realidade objetiva. Contudo, Paulo prosseguiu e argumentou que isso não significava que a religião pagã não era perigosa. Na verdade, a religião pagã era "o lócus da atividade demoníaca, e... adorar esses

---

18 Ver também a avaliação da idolatria na literatura judaica extrabíblica; por exemplo, em *A Sabedoria de Salomão* 13.10-15.17. Devemos notar que houve também uma extensa tradição filosófica entre os gregos que ridicularizavam as superstições do politeísmo. Ver Dulles, *History of Apologetics*, 23.

19 *Letter to Diognetus* 2.1b-6, em Staniforth, *Early Christian Writings*, 143.

deuses é, de fato, ter comunhão com os demônios" (ver 1 Co 10.19-20).[20] Esses poderes demoníacos usavam a religião grega e romana tradicional, com seus muitos ritos e mitos como máscaras, para seduzir homens e mulheres e, assim, levá-los a um estado de servidão.[21] A conversão ao cristianismo não somente significava chegar à compreensão de que a religião greco-romana era uma "grande ilusão",[22] mas também representava liberdade da tirania de inúmeros poderes demoníacos.

O VERDADEIRO CRIADOR DO UNIVERSO E SEU FILHO AMADO

Uma boa defesa da fé cristã não somente expõe os problemas com cosmovisões rivais, mas também mostra como os cristãos veem o mundo. Portanto, depois de o autor desta apologia do século II haver diferençado a adoração cristã do judaísmo (3.1-4.6) e discutido maneiras pelas quais o estilo de vida cristão é, ao mesmo tempo, idêntico e radicalmente diferente do estilo de vida de seus vizinhos pagãos (5.1-6.10),[23] ele volta a responder à primeira pergunta de Diogneto: quem é o Deus em quem os cristãos creem?

Os escritor começa por indicar que o conceito cristão de Deus não é o produto de pensamento ou filosofia humana. Ele já tinha mencionado este fato no capítulo 5: "A doutrina que eles [os cristãos] professam não é a invenção de cérebros e mentes humanas ocupadas; eles também não são, como alguns, adeptos desta ou daquela escola de pensamento" (5.3). No capítulo 7, ele faz uma afirmação mais completa:

> Como eu disse antes, não lhes [aos cristãos] foi confiado uma descoberta terrena. A coisa que eles guardam com muito zelo não é o

---

20 Gordon D. Fee, *The First Epistle to the Corinthians* (Grand Rapids: Eerdmans, 1987), 370.
21 Peter Brown, *The Rise of Western Christendom: Triumph and Diversity Ad 200-1000* (Oxford: Blackwell, 1996), 27.
22 Esta descrição se acha na mesma obra e página mencionadas na nota anterior.
23 Quanto a uma discussão do capítulo 5, ver Bruce Fawcett, "Similar yet Unique: Christians as Described in the *Letter to Diognetus 5*", *The Baptist Review of Theology* 6, n. 1 (Spring 1996): 23-27.

produto do pensamento mortal, e o que lhes foi confiado não foi a administração de mistérios humanos. O Todo-Poderoso, o Criador do universo, o Deus que nenhum olho pode ver, enviou do céu a sua própria Verdade, sua própria Palavra santa e incompreensível, para plantá-la entre os homens e implantá-la nos seus corações.[24]

Aqui, o autor afirma inequivocamente que a verdade cristã é, em última análise, não uma questão de mero raciocínio humano ou especulação religiosa. Pelo contrário, ela está arraigada na revelação do próprio Deus. Aqui, o autor admite um princípio-chave para os teólogos patrísticos: somente Deus pode revelar Deus, e não podemos saber nada sobre Deus, se ele não revelar-se a si mesmo.

O mesmo argumento é apresentado pela terceira vez em 8.1-5.

Antes do seu [ou seja, de Cristo] advento, quem entre os homens tinha qualquer noção de tudo que Deus é? Ou você aceita as sugestões insípidas e ridículas de seus filósofos pretensiosos? Alguns destes nos asseguram que Deus é Fogo (dando-nos assim o nome do Deus perante o qual um dia eles mesmos comparecerão!); alguns dizem que ele é Água, e outros, que ele é um dos vários elementos de sua criação. Se alguma destas ideias fosse admissível, não haveria razão por que qualquer outra coisa mais, no mundo, precisaria ser declarada ser Deus. Afirmações desse tipo não são mais do que o truque, o "abracadabra" de profissionais ilusionistas, pois nenhum homem vivo jamais viu ou conheceu a Deus; é ele mesmo quem nos tem dado a revelação de si mesmo.[25]

Duas especulações filosóficas sobre a natureza de Deus são aqui mencionadas e rejeitadas, ambas desde os primeiros períodos da filosofia grega. A primeira, a asserção de que Deus é fogo, vem do filósofo Heráclito de Éfeso

---

24 *Letter to Diognetus* 7.1-2, em Staniforth, *Early Christian Writings*, 146, alterado.
25 *Letter to Diognetus* 8.1-5, em Staniforth, *Early Christian Writings*, 146-47, alterado.

(influente em 500 a.c.), que também fez a declaração panteísta: "Deus é o dia e a noite, o verão e o inverno, a guerra e a paz, a plenitude e a escassez". A declaração de que Deus é água parece ser uma referência ao filósofo jônico Tales (influente entre 580 a 540 a.C.), o pai da filosofia grega. De maneira diferente de seus contemporâneos cristãos, notavelmente Justino Mártir, que considerava o pensamento filosófico grego como algo que cumpria um papel importante, embora subordinado, em preparar a civilização greco-romana para o evangelho, o escritor desta epístola afirma o contrário. Nas palavras de H. G. Meecham: "Todos esses esforços em busca de Deus são desacreditados".[26] Como diz o texto acabamos de citar, Deus não era conhecido antes que se revelasse a si mesmo.

A revelação de Deus a respeito de si mesmo, o autor do tratado admite, foi feita por meio da encarnação de seu Filho. Deus não, ele escreve,

> Enviou à humanidade um de seus servos, algum anjo ou príncipe... Não é outro senão o próprio Arquiteto e Criador, por cuja agência Deus fez os céus e estabeleceu ao mar os seus limites... por meio de quem os limites do curso do sol são designados de dia, e ante cuja ordem a lua obediente emana, à noite, os seus raios, e cada estrela submissa segue circulando em sua órbita. Ordenador, Distribuidor e Governador de todas as coisas é ele: do céu e de todas as coisas que ele contém; da terra e de tudo que há na terra; do mar e de toda criatura que nele existe; do fogo, do ar e do abismo; das coisas do alto, das coisas de baixo e das coisas do meio. Esse foi o Mensageiro que Deus enviou aos homens.[27]

Vale a pena ressaltar que o autor deste tratado não se refere à revelação de Deus anterior à encarnação de Cristo. Todavia, isto é central ao testemunho de Cristo no Novo Testamento. O Deus que falou no passado e se revelou por meio de seus servos, os profetas, fala agora por meio de seu Filho. Como

---

26 "The Theology of the Epistle to Diognetus", *The Expository Times* 54 (1942-1943): 98.
27 *Letter to Diognetus* 8.1-5, em Staniforth, *Early Christian Writings*, 146, alterado.

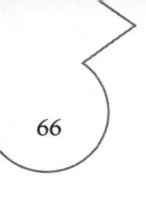

lemos em Hebreus 1.1-2: "Havendo Deus, outrora, falado, muitas vezes e de muitas maneiras, aos pais, pelos profetas, nestes últimos dias, nos falou pelo Filho". A falha de não levar em conta a revelação de Deus a respeito de si mesmo no Antigo Testamento causará problemas ao autor deste tratado quando ele chegar a responder a pergunta de Diogneto concernente à antiguidade do cristianismo. Mas voltaremos a isso posteriormente.

Portanto, o cristianismo é, em última análise, não uma tentativa humana de achar Deus, quer por especulação filosófica, quer por ritual religioso. Antes, o cristianismo está fundamentado na revelação de Deus quanto a si mesmo, e esta revelação em uma pessoa, o seu Filho. Embora o nome pessoal do Filho encarnado, Jesus, não seja mencionado neste tratado, como um todo, não há dúvida de que esta é a pessoa sobre quem o autor escreve eloquentemente na passagem que acabamos de citar. O Filho não pertence à ordem das coisas criadas, como é evidente do texto em 7.2 que citamos. Nesta passagem, o domínio do Filho sobre toda a natureza, e, por implicação, sua deidade, é proclamado.

O Filho, por meio de quem Deus fez os céus, a terra e tudo que neles há,[28] foi enviado para revelar Deus. "Como um rei que envia seu filho real", declara o autor, "assim ele o enviou; assim Deus o enviou, como Homem ele o enviou para os homens" (7.2). Estas palavras revelam uma doutrina de Cristo elevada. Quem é Este que Deus enviou para revelar a si mesmo? Bem, ele é "um filho". Ele é enviado "como Deus". Quando ele chamava os homens ao arrependimento e à fé, era Deus quem os estava chamando. Como L. B. Radford comenta: "Ele é Deus tão verdadeiramente que sua vinda pode ser descrita como a vinda de Deus".[29]

Uma defesa criteriosa da fé cristã não pode excluir uma consideração da pessoa de Cristo. De fato, é sobre a singularidade e divindade de Cristo que o cristianismo se sustenta. Ora, alguns têm argumentado que a *Epístola a Diogneto* não pode ser descrita como que tendo um teologia e que o autor evita propositada-

---

28 Quanto a uma confirmação bíblica desta verdade, ver João 1.3, 10; Cl 1.16; Hb 1.2.
29 *The Epistle to Diognetus* (London: 1908), 39. Ver também Lienhard, "Christology of the Epistle to Diognetus", 288.

mente a "precisão dogmática".³⁰ Mas esta seção do tratado não pode ser descrita como não teológica, tampouco a discussão sobre a cruz que aparece em seguida.

A ANTIGUIDADE DO CRISTIANISMO E A CRUZ

Esta discussão da maneira pela qual Deus revelou-se a si mesmo abre a porta para o autor prover uma resposta ao que teria sido uma questão básica para muitas pessoas no Império Romano, quer judeus, quer gregos, quer romanos – a última das perguntas mencionadas no primeiro capítulo do tratado: "Por que esta nova raça de homens ou, pelo menos, esta nova maneira de viver chegou às nossas vidas apenas recentemente, em vez de muito antes?" Entre os antigos era axiomático que tudo que era velho era verdadeiro e tudo que era novo era questionável e, talvez, falso. Isto suscitou um problema óbvio para aqueles que buscavam convencer homens e mulheres das afirmações de verdade do cristianismo, pois o cristianismo teve sua origem no aparecimento de Cristo. A resposta padrão entre os apologistas cristãos era que a época do Antigo Testamento predizia a vinda de Cristo. Sob esta luz, a verdade cristã tinha uma afirmação muito melhor do que o pensamento grego ou o pensamento romano, nenhum dos quais possuía mais do que mil anos de existência.

No entanto, a *Epístola a Diogneto* não usa esta maneira de lidar com o assunto. Anteriormente, nas seções que tratam do judaísmo, o autor assumira uma postura tão firme contra o judaísmo (3-4), que nos dá a impressão de que o judaísmo não tinha valor algum, nem mesmo como precursor do cristianismo. Assim, o autor é forçado a argumentar que, embora Deus tenha concebido o desígnio de enviar o seu Filho para redimir a humanidade, a princípio ele não o disse a ninguém, exceto ao Filho. Portanto, quando homens e mulheres mostraram por seus "instintos desregrados e... sensualidade e lascívia" que era tanto "indignos de chegar à vida" como "incapazes de entrar no reino de Deus por seu [deles] próprio poder",³¹ Deus enviou seu Filho.

---

30 Craig Steven Wansink, "*Epistula ad Diognetum*: A School Exercise in the Use of Protrepic", em *Church Divinity 1986*, ed. John H. Morgan (Bristol, IN: Wyndham Hall, 1986), 97-109.
31 *Letter to Diognetus* 8.1-5, em Staniforth, *Early Christian Writings*, 147, alterado.

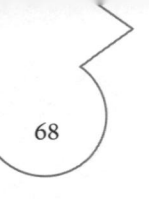

Embora este argumento, tal como foi apresentado, sem qualquer indicação do período de preparação do Antigo Testamento, seja talvez a única grande fraqueza da epístola, ele provê outro apoio para abraçar a fé cristã. O autor havia argumentado que Deus não revelara seu plano de salvação a ninguém, exceto ao seu "Filho amado", até que os homens compreendessem sua total incapacidade de ganhar o céu por suas próprias força. E, quando os homens se tornaram cônscios de seu pecado e julgamento iminente, Deus fez o seguinte:

> Em vez de odiar-nos, rejeitar-nos e lembrar a nossa impiedade, contra nós, ele mostrou como é longânimo. Ele nos suportou, e, em compaixão, levou os nossos pecados sobre si mesmo, e deu seu Filho como resgate por nós – o Santo pelo ímpios, o Imaculado pelo pecadores, o Justo pelos injustos, o Incorruptível pelos corruptíveis, o Imortal pelo mortais. Havia alguma outra coisa, senão a sua justiça, que nos poderia servir para cobrir os nossos pecados? Em quem poderíamos, em nossa injustiça e impiedade, ter sido tornados santos, senão apenas no Filho de Deus? Oh! que doce mudança! Que obra insondável! Que benefícios inesperados! O fato de que a impiedade de multidões fosse escondida no Justo, e a justiça de Um justificasse ímpios incontáveis! Em tempos passados, ele nos convenceu de que nossa natureza humana, por si mesma, carecia do poder de chegar à vida; hoje, ele nos revela um Salvador que tem poder de salvar até os incapazes. O propósito que estava por trás destes atos é que creiamos em sua bondade, olhemos para ele como nosso Sustentador, Pai, Mestre, Conselheiro, Médico, Sabedoria, Luz, Honra, Glória, Poder e Vida e não tenhamos qualquer ansiedade a respeito de nossa roupa ou de nossa comida.[32]

O uso do termo *resgate* nesta passagem lembra Marcos 10.45 ("O próprio Filho do Homem não veio para ser servido, mas para servir e dar a sua vida em resgate por muitos"), onde *resgate* possui toda a força de seu signifi-

---

32 *Letter to Diognetus* 8.1-5, em Staniforth, *Early Christian Writings*, 147-48, alterado.

cado como um pagamento que é substitutiva em caráter.³³ Aqui, na *Epístola a Diogneto*, este tema de substituição está igualmente em vista no uso da palavra *resgate* na epístola, como as cláusulas subsequentes deste texto mostram claramente. Cinco formas dialéticas foram empregadas para expressar este ato de substituição, uma das quais – "o Justo pelos injustos" – reproduz quase exatamente uma frase de 1 Pedro 3.18. O que é salientado nesta expressão dialética são os temas soteriológicos inseparáveis da pureza total do Filho e da depravação radical da humanidade, uma dialética que lembra a riqueza da teologia de salvação ensinada por Paulo, como a achamos em passagens como Romanos 5.6-10.

Este é um texto verdadeiramente maravilhoso, visto que o autor, dominado pelo que aconteceu na cruz, se perde em êxtase, temor e louvor. Aqui, assim como acontece frequentemente nos escritos de Paulo, a teologia dá lugar à doxologia. Entretanto, a natureza doxológica da passagem não deve levar-nos a ignorar a maneira como ela também contribuiu para a defesa do autor quanto à cosmovisão cristã. Por que as afirmações de verdade do cristianismo devem ser consideradas com tanta seriedade? Diferentemente das outras religiões, o cristianismo lida decisivamente com o problema fundamental do homem – o problema do pecado do homem. Henry Chadwick, autoridade em história da igreja, ressalta muito bem isso quando afirma que uma das principais razões para o crescimento da igreja foi o fato de que o evangelho que ela pregava "falava da graça divina em Cristo, da remissão dos pecados e da conquista dos poderes malignos em benefício da alma doente, cansada de viver e temerosa de morrer, que procurava uma segurança da imortalidade".³⁴ Esta passagem é, também, um bom lembrete de que a apologética cristã, embora usando a razão, não precisa ser fria e sem vida. Ela pode, e deve, falar ao coração, bem como à mente.

O resultado de ser envolvido neste ato divino de salvação é que Deus se torna o tudo do cristão. Este parece ser o propósito da lista de títulos dados a Deus no final deste texto.

---

33 Leon Morris, The Apostolic Preaching of the Cross, 3rd ed. (London: Tyndale, 1965), 33-38.
34 *The Early Chruch* (Harmondsworth, UK: Penguin, 1967), 55.

A COMUNIDADE CRISTÃ E SEU TESTEMUNHO DA VERDADE

Por fim, o autor desta epístola apresenta duas "evidências" em favor da verdade do cristianismo. A primeira é a comunidade cristã. Diogneto, como muitos outros pagãos, estava admirado do amor que os cristãos mostravam uns pelos outros. Eis como Luciano de Samósata (c. 115- c. 200), um satirista pagão, retratou a igreja cristã em sua sátira *A Morte de Peregrino*, que trata da carreira de um rábula que tinha esse nome. Por um tempo, em sua carreira, Peregrino fingiu ser um cristão e se tornou um mestre na comunidade cristã na Ásia Menor. Achando-se na prisão por causa da fé que confessava, Peregrino logo se tornou o centro da atenção dos membros da igreja. "Primeira coisa, toda manhã", escreveu Luciano, "você veria uma multidão de velhas, viúvas e órfãos esperando fora da prisão", trazendo-lhe "todo tipo de comida". De fato, Luciano prosseguiu e disse que os cristãos "são sempre incrivelmente rápidos em agir quando um deles se envolve em problemas como este – de fato, eles ignoram completamente seus próprios interesses". E por que eles fazem isto? Bem, Luciano explicou à sua audiência pagã, "o legislador" dos cristãos, e com isso ele se referia a Cristo, "os havia convencido de que, uma vez que tinham parado de crer nos deuses gregos e começado a adorar aquele sábio crucificado deles e a viver de acordo com as suas leis, eles eram todos irmãos e irmãs uns dos outros".[35] Vindo de um autor que não tinha boa disposição para com o cristianismo, isto é um testemunho admirável da maneira como muitas comunidades cristãs primitivas eram centros de amor.

A vida pagã era caracterizada por paixões bem diferentes. "Vivendo em malícia e inveja, odiosos e odiando-nos uns aos outros" (Tt 3.3) foi a maneira como Paulo descreveu a estrutura social do império no século I. Não é surpreendente que as comunidades cristãs fossem como luzes resplandecentes em um firmamento de trevas (Fp 2.14-15); também não é surpreendente, de acordo com o primeiro capítulo deste tratado, que Diogneto tenha pergun-

---

35 *The Passing of Peregrinus* 11-13, em *Lucian: Satirical Sketches*, trad. Paul Turner (Harmondsworth, UK: Penguin, 1967), 11.

tado: "O que é a calorosa afeição fraterna que eles [ou seja, os cristãos] sentem uns pelos outros?"

A resposta que nosso autor desconhecido dá se acha no último capítulo existente do tratado:

> Deus amou a raça humana. Foi para o bem deles que Deus fez o mundo. Foi aos homens que ele que deu o domínio sobre tudo que há no mundo. Aos homens ele deu razão e entendimento, e somente eles receberam permissão de erguer seus olhos para ele. Deus os formou à sua imagem; ele lhes enviou seu Filho unigênito. Prometeu-lhes o reino do céu e certamente o dará àqueles que o amam. Quando você tiver compreendido estas verdades, pense em como sua alegria transbordará e que amor você sentirá por aquele que o amou desta maneira.[36]

Os cristãos amam uns aos outros porque Deus os amou primeiro e mostrou este amor por meio do dom sacrificial de seu Filho amado. Aceitar, somente pela fé, a morte do Filho em favor dos pecados de alguém – antes o autor afirmara que Deus "tinha-se revelado somente à fé, pela qual somos permitidos conhecer a Deus"[37] – leva ao desejo de imitar a Deus, aquele que ama muitíssimo a humanidade. É no amor que os crentes têm uns para com os outros e para com o próximo que será vista a evidência de que "Deus vive no céu". O amor cristão é, portanto, uma evidência crucial para a verdade da cosmovisão cristã.

O autor discerne uma segunda evidência em favor da verdade do cristianismo na maneira como os crentes estavam preparados para nadar contra a correnteza dos valores éticos de seus contemporâneos e até para morrer por suas crenças. Antes, no tratado, o autor enfatiza que os cristãos não são distinguidos de sua cultura por causa de sua localização geográfica, seu idioma ou seus costumes de vestes, comida e outras coisas da vida diária (5.1-2). Em outras palavras, os cristãos não procuravam escapar do envolvimento na sua sociedade. No entanto, a sua cosmovisão traçou certas linhas de demarcação entre eles mesmos e

---

36 *Letter to Diognetus* 10.2-3, em Staniforth, *Early Christian Writings*, 148, alterado.
37 *Letter to Diognetus* 8.6, em Staniforth, *Early Christian Writings*, 147, alterado.

a cultura à sua volta. O fato de que estavam destinados para o céu, "um mundo de amor santo", citando um autor cristão posterior – Jonathan Edwards (1703-1758), implicava que sua vida neste mundo era ordenada de maneira diferente da vida de seus vizinhos pagãos. Em essência, eles viviam no mundo, em várias comunidades espalhadas ao redor da bacia do Mediterrâneo, mas eles não levavam sua vida de acordo com os padrões do mundo (5.5, 8-9). Em específico, este relacionamento paradoxal com a sociedade é bem percebido na atitude deles para com o abandono de crianças e a exposição sexual.

O ABANDONO DE CRIANÇAS E A EXPOSIÇÃO SEXUAL

Em comum com o resto da sociedade greco-romana, os cristãos casavam e tinham filhos (5.6). Todavia, diferentemente de sua cultura, eles se recusavam plenamente a engajarem-se na pratica de abandonar crianças: "Eles casam e geram filhos, mas não abandonam seus infantes".[38] Esta prática de rejeitar filhos não desejados, colocando-os nas ruas ou nos limites da cidade, perto dos aterros de lixo era muito comum em todo o mundo greco-romano. Os ricos não queriam compartilhar sua riqueza mundana com muitos herdeiros; os pobres tinham muitas bocas para alimentar. Uma afirmação franca desta prática foi encontrada recentemente em uma carta escrita por volta do ano 1 a.C. por um homem que estava em viagem de negócios. Ele instruiu sua esposa grávida, em Alexandria, que estava prestes a dar à luz: "Quando você der à luz, se for homem, deixe-o, se for mulher, jogue fora."[39]

O Novo Testamento não condena explicitamente, em nenhuma passagem, a prática do aborto, o que é de algum modo surpreendente em vista do fato de que o aborto não era incomum no mundo greco-romano.[40] Indepen-

---

38 *Letter to Diognetus* 5.6, em Staniforth, *Early Christian Writings*, 147, alterado.
39 *Papyrus Oxyrhynchus*, 4.744.
40 Quanto a um ponto de vista greco-romano sobre o aborto, ver Richard Harrow Frein, "Abortion and Exposure in Ancient Greece: Assessing the Status of the Fetus and 'Newborn' from Classical Sources", em *Abortion and the Status of the Fetus*, ed. William B. Bondeson et al. (Dordrecht: Reidel, 1983), 283-300; Michael J. Gorman, *Abortion and the Early Church* (Downers Grove, IL: InterVarsity, 1982), 13-32. Quanto a uma discussão sobre a evidência implícita do Novo Testamento em relação ao aborto, ver Gorman, *Abortion*, 48. O livro de Gorman, atualmente fora de impressão, permanece como o melhor livro de estudo amplo do assunto.

dentemente da razão para esse silêncio explícito, os primeiros autores cristãos fora do Novo Testamento viram coerentemente no uso frequente do aborto por mulheres, no mundo greco-romano, uma violação da proibição bíblica do assassinato. Por exemplo, Atenágoras, o apologista do século II (influente nos anos 170), contemporâneo do autor da *Epístola a Diogneto*, respondeu assim a acusação pagã de que os cristãos praticavam canibalismo:

> Faz sentido pensar de nós como assassinos quando dizemos que mulheres que praticam o aborto são assassinas e prestarão contas a Deus pelo aborto? A mesma pessoa não pode considerar aquilo que está no ventre como um ser vivo e, por essa mesma razão, objeto do interesse de Deus e, depois, assassiná-lo quando vem à luz.[41]

Em essência, esta seria a posição referente ao aborto que a igreja manteria durante a era patrística. Era uma parte e parcela de uma atitude muito mais ampla para com os fisicamente fracos e enfermos. Enquanto o mundo pagão greco-romano era extremamente insensível em relação ao valor da vida humana, as comunidades cristãs primitivas, como um todo, procuravam demonstrar a compaixão do Senhor Jesus para os fracos e desamparados.[42]

Uma segunda área em que as comunidades cristãs diferiam radicalmente de sua cultura era na área de ética sexual: "Qualquer cristão é livre para compartilhar da mesa de seu próximo, mas nunca do de seu leito conjugal".[43] A imoralidade sexual era desenfreada no império, mas os cristãos eram firmes em sua posição contra ela. Como este autor e outros apologistas cristãos enfatizaram, acusações de imoralidade sexual contra os cristãos eram sem fundamento.[44]

---

41 *Plea on Behalf of the Christians* 35.6, em *Athenagoras: Legatio and De Ressurrectione*, trad. William R. Schoedel (Oxford: Clarendon, 1972), 85. Quanto a uma discussão deste texto de Atenágoras, ver Gorman, *Abortion*, 53-54. Quanto à acusação de canibalismo, ver capítulo 5, em seguida.

42 Vale a pena ressaltar que uma das principais razões para o sucesso da expansão da igreja em todo o Império Romano foi a expressão prática do amor que os cristãos mostravam uns pelos outros e pelos incrédulos. Ver Henry Chadwick, *The Early Church*, rev. ed. (London: Penguin, 1993), 56-58.

43 *Letter to Diognetus* 5.7, em Staniforth, *Early Christian Writings*, 145.

44 Ver, por exemplo, Teófilo de Antioquia, *A Autólico* 3.4.

OS MÁRTIRES

Como muitas culturas, as culturas do Império Romano reagiam a essa inconformidade com temor e ódio, ostracismo e perseguição. Esse ódio e a reação cristã a ele é mencionado, inúmeras vezes, na epístola. Por exemplo, no capítulo 5 deste tratado, lemos isto sobre aqueles primeiros cristãos:

> Eles mostram amor a todos os homens – e todos os homens os perseguem. Eles são mal compreendidos e condenados; mas, por sofrerem a morte, são despertados para a vida. Eles são pobres, mas enriquecem a muitos; carecem de tudo, mas possuem tudo em abundância. São desonrados, mas tornados gloriosos em sua desonra; caluniados, mas vindicados. Eles pagam calúnia com bênçãos e abuso com cortesia. Pelo bem que fazem, eles sofrem açoites como malfeitores; e, sob os golpes, eles se regozijam como homens que receberam vida nova. Os judeus os atacam como hereges, e os gregos os afligem com suas perseguições. No entanto, de todos os que lhe desejam o mal não há nenhum que possa produzir bons motivos para a sua hostilidade.[45]

Como esta passagem deixa claro, os cristão eram verbalmente abusados por seus contemporâneos gregos e romanos, despojados, levados a julgamento como malfeitores e condenados à morte. Observe como eles reagiam – com amor: "Eles mostram amor a todos os homens".

Como já observamos, no Império Romano o modo de executar os inimigos do estado e criminosos variava, porque a punição romana era elaborada de acordo com a posição social e não de acordo com o crime. Portanto, a decapitação era a principal forma de execução para cidadãos do império que cometiam uma ofensa capital. Outros seriam expostos a toda uma gama de meios horríveis de execução, incluindo morte por fogo e ser atacado por feras até à morte. Estas duas formas de execução são mencionada nesta epístola. Em 10.8, lemos sobre

---

45 *Letter to Diognetus* 5.11-17, em Staniforth, *Early Christian Writings*, 145.

os crentes que "suportam por amor à justiça um fogo transitório".[46] E, no final do capítulo 7, o autor menciona morte por feras selvagens:

> [Você não tem visto cristãos] sendo lançados às bestas selvagens para fazerem-nos negar seu Senhor, mas eles permanecem invictos? Você não vê que, quanto mais eles sofrem, mais cresce o número do restante? Estas coisas não parecem obra de homem; elas são o poder de Deus e os sinais evidentes de sua presença.[47]

A maneira pela qual o autor vê os martírios dos crentes é digno de nota. Eles são, primeiramente, um meio pelo qual a igreja cresce. Como disse Tertuliano, o teólogo norte-africano: "O sangue dos cristão é semente", ou seja, a sementeira da igreja.[48] Segundo, o autor da *Epístola a Diogneto* vê na firmeza dos mártires nada menos do que uma prova da verdade do testemunho dos mártires. Já vimos isso no testemunho de Inácio de Antioquia, e agora temos nesta epístola um vislumbre da mesma ideia. Na igreja antiga, a apologética aconteceu não somente por meio de arrazoar por intermédio da palavra falada e de escritos como esta epístola, mas também em meio a martírios horríveis. Justino Mártir, assim chamado por causa de seu próprio martírio, foi trazido a Cristo por assistir à maneira como os crentes morriam na arena. "Quando eu mesmo me deleitava nos ensinos de Platão", ele nos diz, "e ouvi os cristão sendo apresentados erroneamente, e os vi permanecer destemidos em face da morte e de outras coisas que consideramos temíveis, compreendi a impossibilidade de eles viverem em prazer pecaminoso".[49] De modo semelhante, Tertuliano falou sobre o poder apologético daqueles que derramaram seu sangue por amor a Cristo: "Quem contempla essa nobre perseverança será primeiramente, como que abalado por algum tipo de inquietude, levado a per-

---

46 *Letter to Diognetus* 10.8, em Staniforth, *Early Christian Writings*, 149, alterado.
47 *Letter to Diognetus* 7.8, em Staniforth, *Early Christian Writings*, 146. No começo deste versículo, há uma lacuna no manuscrito, e o material acrescentado entre colchetes é inserido para dar sentido ao que segue.
48 *Apology* 50.13, em *Tertullian: Apologetical Works and Minucius Felix: Octavius*, trad. Emily Joseph Daly, Rudolph Arbesmann and Edwin A. Quain (New York: Fathers of the Church, 1950), 125.
49 *Second Apology* 12, em *Saint Justin Martyr*, trad. Thomas B. Falls (New York: Christian Heritage, 1948), 132.

guntar qual é o assunto em questão e, depois, quando ele conhece a verdade, seguirá imediatamente o mesmo caminho".⁵⁰

APOLOGÉTICA PATRÍSTICA: ALGUNS PRINCÍPIOS

Que aspectos centrais da apologética patrística achamos nesta pérola teológica? Primeiro, há o reconhecimento da importância vital da oração. O autor menciona bem no início de seu tratado que está orando pela conversão de Diogneto. Ele se mostra bastante cônscio de que, se ouvidos para ouvir a verdade não forem dados a Diogneto, todos os esforços de escrever-lhe este tratado serão inúteis. Ligada a isto, está a convicção do autor de que homens e mulheres são incapazes de achar a verdade se não forem ajudados por Deus. Se Deus tem de ser achado, ele tem de revelar-se a si mesmo ao coração que busca. O autor enfatiza, assim, a provisão que Deus fez para ser achado por meio da revelação de si mesmo em seu Filho, Jesus Cristo. Terceira, e isso é compreensível, a morte de Cristo por pecadores também cumpre um papel proeminente em seu testemunho sobre o verdadeiro Deus. É a morte do Filho que livra um homem ou uma mulher da vergonha e da servidão, capacitando-os assim a participarem genuinamente do amor de Deus, tanto como recipientes como agentes de amor aos outros. Depois, o autor da epístola também reconhece a importância da comunidade cristã como um instrumento de testemunho, em seu amor uns pelos outros, em sua vida juntos e até no morrerem por sua fé.

Retomando este tema final de morrer por causa da fé: este tratado é um testemunho maravilhoso do fato de que a igreja antiga sabia que há coisas mais importantes do que a própria vida. Nas palavras de Justino Mártir: "Aquele que ama a verdade tem de escolher, de toda maneira possível, fazer e dizer o que é certo, mesmo quando ameaçado de morte, em vez de salvar a sua própria vida".⁵¹ J. G. O'Neill observou "o senso avassalador da singularidade

---

50 *To Scapula* 5, em Daly, Arbesmann and Quain, *Tertullian: Apologetical Works*, 161.
51 *First Apology* 2.1, em Falls, *Saint Justin Martyr*, 34.

da religião cristã [que] domina o... pensamento" do autor deste tratado. Como prova, O'Neill indicou o argumento do autor nos capítulos 5 e 6: o que a alma é para o corpo, os cristão são para o mundo. A concepção de que esta comunidade de cristãos tem um papel vital em sustentar o mundo pode ter parecido ridícula para muitos dos autores pagãos contemporâneos, mas O'Neill estava certo em ver nela a inabalável confiança do autor quanto à verdade cristã.[52] Era uma convicção que estava alicerçada no Novo Testamento e permeou o testemunho da igreja antiga para uma cultura conformada ao pecado.

---

52 "Epistle to Diognetus", 104-6.

CAPÍTULO 4

INTERPRETANDO AS ESCRITURAS

A Exegese de Orígenes

Ora, nós não temos recebido o espírito do mundo, e sim o Espírito que vem de Deus, para que conheçamos o que por Deus nos foi dado gratuitamente. Disto também falamos, não em palavras ensinadas pela sabedoria humana, mas ensinadas pelo Espírito, conferindo coisas espirituais com espirituais.
1 CORÍNTIOS 2.12-13

Orígenes, apelidado de Adamâncio, "Homem de Aço",[1] nasceu em um lar cristão muito rico por volta de 185, no Egito.[2] Seu pai, Leônidas, reconheceu a grande inteligência de Orígenes quando este ainda era criança e lhe deu, subsequentemente, uma educação excelente tan-

---

1 Jerônimo, *On Illustrious Men* 54, em *Saint Jerome: On Illustrious Men*, trad. Thomas P. Halton (Washington, DC: The Catholic University of America Press, 1999), 77.

2 Extremamente proveitoso no estudo da vida e do pensamento de Orígenes são Henri Crouzel, *Origen*, trad. A. S. Worrall (San Francisco: Harper and Row, 1989), Joseph W. Trigg, *Origen* (London: Routledge, 1998), e John Anthony McGuckin, ed., The Westminster Handbook to Origen (Louisville, KY: Westminster John Knox, 2004). Ver também a proveitosa introdução de Rowan A. Greer sobre a piedade de Orígenes, em *Origen: An Exhortation to Martyrdom, Prayer, First Principles: Book IV, Prologue to the Commentary on the Song of Songs, Homily XXVII on Numbers*, trad. Greer, The Classics of Western Spirituality (New York: Paulist, 1979), 1-37. Daqui para frente esta tradução será citada como Greer, *Origen*.

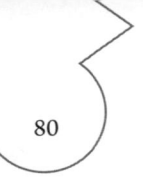

to na literatura grega como nas Escrituras.³ Esta envolveu a memorização da maior parte do grego bíblico, o que seria muito proveitoso a Orígenes quando ele se tornasse o principal exegeta bíblico de seu tempo. Leônidas foi decapitado durante uma perseguição em Alexandria, em 202.⁴ Eusébio de Cesareia (c. 260-338/339), descrito às vezes como o "pai de história da igreja", por causa de sua inestimável obra sobre a história da igreja até aos seus dias e um homem devotado à memória de Orígenes,⁵ nos diz que Orígenes, ao saber da detenção e prisão de seu pai, mostrou-se determinado a unir-se a ele na prisão. Sua mãe tentou dissuadi-lo de sua determinação, mas não obteve sucesso. Por isso, ela escondeu as roupas de Orígenes, que foi obrigado a permanecer em casa até a morte de seu pai!⁶ Ele nunca esqueceu que seu pai fora um mártir.⁷

Visto que as propriedades de cristãos condenados eram confiscadas pelo tesouro imperial, Orígenes e sua família ficaram sem recursos. Foi somente devido à generosidade de um viúva cristã rica que Orígenes pôde continuar seus estudos. Em 206, outro surto de perseguição forçou todos os mestres de Alexandria a se esconderem. Orígenes tomou o lugar deles até que foi denunciado pelos vizinhos e, com dificuldades, escapou de ser preso em casa. Apesar do perigo evidente, ele continuou a ensinar em várias igrejas que se reuniam em casas, em Alexandria. Pelo menos sete de seus alunos morreram como mártires nesta perseguição.⁸

Depois que cessou este surto de violência contra a igreja e embora Orígenes fosse jovem, ele foi designado o chefe da escola catequética em Alexandria, onde Clemente de Alexandria (c. 160-215) parece ter servido antes dele. Logo, a fama de Orígenes como intérprete começou a se espalhar no Egito e no Mediterrâneo oriental. Ele também se tornou famoso por sua santidade,

---

3 Timothy D. Barnes, Constantine and Eusebius (Cambridge, MA: Harvard University Press, 1981), 82. Usei esta obra de Barnes para estruturar o breve esboço da vida de Orígenes que segue.

4 Jerônimo, *On Illustrious Men* 54, em Halton, *Saint Jerome: On Illustrious Men*, 77.

5 Sobre Eusébio, ver Barnes, *Constantine and Eusebius*, passim, e Barnes, "Eusebius of Caesarea", *The Expository Times* 121 (2009): 1-14.

6 *Church History* 6.2.

7 *Homily on Ezekiel* 4.8.

8 Barnes, *Constantine and Eusebius*, 83.

embora precisemos notar que a história de ele tomar Mateus 19.12 no sentido literal e castrar a si mesmo é quase definitivamente apócrifa. Parece que ela teve sua origem entre aqueles que, posteriormente, detestavam a memória de Orígenes e estavam dispostos a ir longe em desacreditá-lo.[9] No devido tempo, um certo Ambrósio, que foi convertido do gnosticismo valentiniano pelo ensino de Orígenes, se tornou patrono e benfeitor do teólogo. Ele insistiu com Orígenes a que começasse a escrever comentários sobre as Escrituras e, para dar força à sua insistência, ele proveu Orígenes de taquígrafos e copistas – um escritório com cerca de vinte pessoas ou mais trabalhando nele![10] – para anotar o ditado exegético e reproduzir seus livros em múltiplas cópias.[11]

ORÍGENES, O TEÓLOGO

O historiador inglês Timothy D. Barnes comentou acertadamente que Orígenes era tanto um "teólogo especulativo de coragem e imaginação incomparáveis" quanto um profundo intérprete das Escrituras.[12] Orígenes foi o autor de *Contra Celso*, que foi uma resposta a um pagão crítico do cristianismo e foi a obra primorosa deste gênero de apologia na era patrística. Depois, houve as suas obras doutrinárias, das quais a principal foi *Sobre os Primeiros Princípios* (c. 230), a primeira teologia verdadeiramente sistemática, e obras menos conhecidas como o *Diálogo com Heráclides*, achada em um códice cóptico do século VII, em 1941, em Tura, uns doze quilômetros ao sul de Cairo, durante a remoção de sujeira de uma caverna de calcário, para torná-la um lugar de estoque de munição inglesa, durante a Segunda Guerra Mundial. O *Diálogo* é o manuscrito vívido de um debate entre o bispo árabe Heráclides, que parece ter sido suspeito de modalismo, e Orígenes, que fora solicitado a ajudar

---

9 É mencionado por Eusébio em sua *História Eclesiástica* 6.8. Ver, também, Rowan Williams, "Origen", in *The First Theologians: An Introduction to Theology in the Early Church*, ed. G. R. Evans (Malden, MA: Blackwell, 2004), 133.

10 Hermann J. Vogt, "Origen of Alexandria (185-253)", em Charles Kannengiesser, *Handbook of Patristic Exegesis: The Bible in Ancient Christianity*, vol. 1 (Leiden: E. J. Brill, 2004), 539.

11 Barnes, *Constantine and Eusebius*, 84.

12 Ibid., 86.

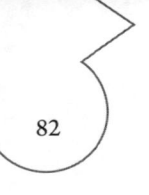

Heráclides a expressar sua teologia numa forma ortodoxa. O modalismo, ou sabelianismo, chamado assim às vezes segundo o nome de Sabélio, um herege do século III, eliminava qualquer distinção entre as pessoas da Divindade. Orígenes foi cuidadoso em enfatizar que temos de manter a distinção do Pai e do Filho tanto em pensamento como em adoração. Ao mesmo tempo, ele insistiu em que precisamos sustentar a unidade do Pai e do Filho e, portanto, afirmar a divindade do Filho.[13]

Quanto ao Espírito Santo, Orígenes escreveu a primeira consideração sistemática sobre o Espírito em sua obra *Sobre os Primeiros Princípios* 1.3, escrita em 229-230.[14] Ali, ele começa por estabelecer, com base na Escritura, a existência pessoal do Espírito e, depois, prossegue para abordar o assunto da sua divindade. A fórmula batismal de Mateus 28.19-20 aponta o caminho para Orígenes, visto que ela une "o nome do Espírito Santo... ao do Deus não gerado, o Pai, e ao do seu Filho unigênito".[15] Estas palavras refletem uma convicção clara de excluir o Espírito Santo do âmbito das coisas criadas. De fato, neste ponto, Orígenes afirma que foi incapaz de achar qualquer "passagem nas Escrituras Sagradas que nos garantiriam dizer que o Espírito Santo é um ser feito ou criado".[16]

Em uma porção de outra obra – o seu comentário sobre o Evangelho de João, escrito por volta da mesma época de *Sobre os Primeiros Princípios* – Orígenes parece mais hesitante em chamar o Espírito de totalmente divino. O ponto de partida de Orígenes é este versículo de João: "Todas as coisas foram feitas por intermédio dele" (Jo 1.3). Ele escreve:

> Se, então, é reconhecido como verdadeiro que "todas as coisas foram feitas por intermédio dele", temos de perguntar se o Espírito Santo

---

13 *Diálogo com Heráclides* 1-4.
14 Quanto ao que afirmo em seguida em referência às opiniões de Orígenes sobre a divindade do Espírito, estou usando a minha obra *The Spirit of God: The Exegesis of 1 and 2 Corinthians in the Pneumatomachian Controversy of the Fourth Century* (Leiden: E. J. Brill, 1994), 9-18.
15 *On First Principles* 1.2, em *Origen: On First Principles*, trad. G. W. Butterworth (1966; repr., Gloucester, MA: Peter Smith, 1973), 30. Daqui para frente, esta tradução será citada como Butterworth, *Origen: On First Principles*.
16 *On First Principles* 1.2, em Butterworth, *Origen: On First Principles*.

foi trazido a existência por meio dele. Parece-me que, se alguém afirma que o Espírito Santo foi trazido à existência por meio da Palavra e aceita que "todas as coisas foram feitas por intermédio dele", esse tem de admitir que o Espírito Santo foi trazido à existência por meio da Palavra e que a Palavra é superior a ele. Por conseguinte, todo aquele que reluta em descrever o Espírito Santo como que trazido à existência por meio de Cristo tem – se aceita as afirmações deste evangelho como verdadeiras – de dizer que ele é não gerado.

Há uma terceira possibilidade em adição tanto a admitir que o Espírito Santo foi trazido à existência como a supor que ele é não gerado. Seria possível alguém afirmar que o Espírito Santo não tem existência individual em distinção do Pai e do Filho. Mas talvez essa pessoa estaria disposta a concordar em que, se alguém considera o Filho como distinto do Pai, será uma questão de o Espírito ser idêntico ao Pai, visto que parece haver uma distinção clara entre o Espírito e o Filho no texto: "Se alguém proferir alguma palavra contra o Filho do Homem, ser-lhe-á isso perdoado; mas, se alguém falar contra o Espírito Santo, não lhe será isso perdoado, nem neste mundo nem no porvir" [Mt 12.32].[17]

Quanto à origem do Espírito, Orígenes imagina três possibilidades: (1) o Espírito é criado do Filho; (2) o Espírito é não gerado como o Pai; (3) o Espírito não tem ser em si mesmo, mas é idêntico ao Pai. Orígenes rejeita as duas últimas possibilidades. A primeira destas, a de que o Espírito é não gerado, viola a premissa teológica de Orígenes, de que somente o Pai é não gerado. A segunda, a de que o Espírito é idêntico ao Pai, era a posição do modalismo do final século II e século III.[18] Para os advogados desta heresia, o Pai, o Filho e o Espírito são apenas descrições adjetivas de modos

---

17 *Commentary on John* 2.10, em *Documents in Early Christian Thought*, trad. Maurice Wiles and Mark Santer (Cambridge: Cambridge University Press, 1995), 78.

18 Sobre o modalismo, ver Jaroslav Pelikan, *The Christian Tradition: A History of Development of Doctrine*, vol. 1, *The Emergence of the Catholic Tradition (100-600)* (Chicago: University of Chicago Press, 1971), 176-82.

temporários de ser que Deus adota na implementação dos vários estágios da atividade divina: criação, salvação e santificação. Muitos textos dão testemunho da oposição vigorosa de Orígenes a esta concepção de Deus,[19] e sua reação à terceira possibilidade quanto à origem do Espírito é, portanto, uma conclusão inevitável.

Consequentemente, Orígenes endossa a primeira possibilidade como a melhor explicação para a origem do Espírito. Ele escreve:

> A opinião que exige nossa aprovação como a mais religiosa e confiável é a seguinte: que, de todas as coisas trazidas à existência por meio da Palavra, o Espírito é mais honrável, e ele é o primeiro em categoria de todas as coisas trazidas à existência pelo Pai por intermédio de Cristo. E talvez isto seja a razão por que o Espírito não é chamado um filho de Deus. Somente o unigênito é um filho por natureza desde o começo, enquanto o Espírito Santo parece exigir o Filho como um intermediário no que diz respeito a sua existência distinta – não meramente capacitando-o a existir, mas também capacitando-o a existir como sábio, racional, justo e com as demais características que pensamos ele deve ter por participar dos atributos de Cristo, sobre o que falamos antes.[20]

Esta passagem parece colocar o Espírito Santo no âmbito das coisas criadas pelo Pai por mediação do Filho. Contudo, a fim de entendermos este texto corretamente, é importante lembrarmos que antes do Concílio de Niceia, em 325, nenhuma distinção era feita entre "não criado" (*agenētos*) e não

---

19 Por exemplo, ver *Commentary on Roman* 8.5; *Against Celsus* 8.12. Quanto a uma discussão sobre a oposição de Orígenes ao modalismo, ver Adolf von Harnack, *Handbuch der Dogmengeschichte*, 3rd. ed. (Freiburg: Akademische Verlasgbuchhandlung von J. C. B. Mohr [Paul Siebeck], 1894), 1:720-22; Jean Daniélou, *Gospel Message and Hellenistic Culture*, trad., ed. J. A. Baker (London: Darton, Longman & Todd; Philadelphia: Westminster Press, 1973), 376-77; Norbert Brox, "Spiritualität und Orthodoxie: Zum Konflikt des Origenes mit der Geschichte des Dogmas", em *Pietas: Festschrift für Bernhard Kotting*, ed. Ernst Dassman and K. S. Drunk, Jahrbuch für Antike und Christentum 8 (Münster: Aschendorffsche Verlagsbuchhandlung, 1980), 140-54, passim.

20 *Commentary on John* 2.10, em Wales and Santer, *Documents*, 78.

gerado (*agennētos*) ou entre "criado" (*genētos*) e "gerado" (*gennētos*).²¹ Visto que Orígenes considera somente o Pai como *agenētos/agennētos*, o Espírito (e o Filho) têm de ser *genēton/gennēton*, um vocábulo que foi usado também para descrever o domínio das coisas criadas em contraste com Deus. No entanto, outros textos indicam definitivamente que Orígenes entende que o Espírito (e o Filho) é radicalmente diferente do domínio das coisas criadas, visto que ele (juntamente com o Filho) possui substancialmente todas as qualidades da vida divina, enquanto as criaturas possuem-nas apenas acidentalmente.²² Além disso, Orígenes considera a posse substancial dessas qualidades, por parte do Espírito, como eterna.²³ De acordo com isso, a "criação" do Espírito, pelo Pai, mediante o Filho, tem de ser considerada eterna. Como Orígenes diz em seu *Comentário sobre Romanos*, "O próprio Espírito está na lei e no evangelho; ele está sempre com o Pai e com o Filho; como o Pai e o Filho, ele sempre é, era e será".²⁴

O Espírito é, assim, distinto do âmbito do domínio das coisas e, definitivamente, um membro da Divindade, apesar do fato de que a linguagem imprecisa de Orígenes, em seu comentário sobre João, dá a impressão oposta. Todavia, o interesse central de Orígenes no comentário sobre João 2.10 não é a afirmação da divindade do Espírito, e sim a demonstração da realidade da existência distinta do Espírito. A "criação" do Espírito, pelo Pai, mediante o Filho, estabelece este fato. Este argumento em favor da existência distinta do

---

21 G. L. Prestige, *God in Patristic Thought* (London: William Heinemann, 1936, 134-38; *Origène: Traité des Principes*, trad. Henri Crouzel and Manlio Simonetti, Sources Chrétiennes 252 (Paris: Les Éditions du Cerf), 1:37-43.

22 Por exemplo, ver *On First Principles* 1.6.2, onde Orígenes afirma que nos seres racionais criados "bondade não existe substancialmente, como existe em Deus, e em seu Cristo, e no Espírito Santo. Pois somente na Trindade, que é a fonte de todas as coisas, a bondade existe substancialmente. Todos os outros possuem-na acidentalmente" (Butterworth, *Origen: On First Principles*, 53, revisado). Quanto a outros textos, ver Jacques Dupuis, *'L'Esprit de l'homme': Étude sur l'antropologie réligieuse d'Origène*, Museum Lessianum, Section Théologique 62 (Paris: Desclée de Brouwer, 1967) 92, n. 12; D. L. Balas, "The Idea of Participation in the Structure of Origen's Thought: Christian Transposition of a Theme of the Platonic Tradition", em *Origeniana*, ed. Henri Crouzel et al., Quaderni di Vetera Christianorum 12 (Bari: Università di Bari, Istituto di Letteratura Cristiana Antica, 1975), 260, n. 7.

23 Ver, por exemplo, *On First Principles* 4.4.1.

24 *Commentary on Romans* 6.7, in *The Early Christian Fathers*, trad. Henry Bettenson (London: Oxford University Press, 1969), 227.

Espírito Santo será, também, a base sobre a qual Basílio de Cesareia e seus capadócios – Gregório de Nazianzo e Gregório de Nissa – desenvolverão a coigualdade do Espírito com o Pai e o Filho, no século seguinte.[25]

Mas Orígenes também assenta as bases para o pensamento daqueles que negariam a deidade do Espírito (e do Filho) no século seguinte. Visto que Orígenes sustenta que Deus é, por definição, Um e não composto, a existência de Três na Divindade foi profundamente problemático para ele. Ele resolve o dilema afirmando que somente o Pai é Deus no sentido próprio do termo e, assim, coloca o Filho e o Espírito em nível subordinado ao Pai. Seu comentário sobre João 13.25 contém uma afirmação clara desta subordinação. O comentário diz:

> Somos convencidos pela afirmação do Salvador de que "o Pai é maior do que eu" (Jo 14.28). Por esta razão, ele não aceitou a designação de "bom" em seu sentido próprio de "verdadeiro e perfeito", quando lhe foi atribuída, mas a atribui gratamente ao Pai, censurando aqueles que o louvou exageradamente. [Portanto,] dizemos que o Salvador e o Espírito Santo transcendem todas as criaturas, não por grau, mas por uma transcendência acima de toda medida. Mas ele [o Filho, bem como o Espírito Santo] é transcendido pelo Pai, tanto quanto ou até mais do que ele e o Espírito Santo transcendem as outras criaturas, até as mais elevadas.[26]

Este texto enfatiza a crença de Orígenes de que, embora o Filho e o Espírito pertençam à esfera divina, eles são categoricamente inferiores ao Pai. Enquanto alguns eruditos sustentam que esta inferioridade pode ser apenas econômica e não ontológica, a impressão dada é que o Filho e o Es-

---

25 Ver capítulo 6, em seguida.
26 Commentary on John 13.25 (tradução minha). O comentário de Orígenes sobre Mateus 15.10 deve ser comparado com esta passagem do seu comentário sobre João. Em Mateus, Orígenes modifica a posição assumida na passagem citada acima: a transcendência do Filho em relação ao domínio das coisas criadas é maior do que a transcendência de Deus, o Pai, em relação ao Filho. Quanto a uma discussão sobre estas duas passagens, ver Daniélou, *Gospel Message*, 383-84.

pírito são, ambos, "seres intermediários", enquanto somente o Pai é Deus no sentido próprio do termo.[27] Este é o solo de onde brota o Arianismo no século seguinte.[28]

São passagens como estas que acabamos de citar referentes a "subordinação" do Filho e do Espírito, bem como as especulações de Orígenes sobre a possível salvação do Diabo e de que as almas criadas têm uma existência eterna antes de incorporarem,[29] que levaram alguns, no final da era patrística, a rejeitar Orígenes como alguém que fora além dos limites da ortodoxia cristã.[30] Quanto a isso, precisamos lembrar que um modelo de ortodoxia como Basílio de Cesareia considerou as obras de Orígenes dignas de leitura atenta para se obter gemas espirituais e teológicas – ele e seu amigo íntimo Gregório de Nazianzo editaram uma antologia de tais passagens, a *Philocalia* (358-359) – embora soubessem que as ideias de Orígenes acerca do Espírito Santo nem sempre eram corretas.[31] As palavras de Robert Murray M'Cheyne (1813-1843) ditas após ele ouvir sobre a morte Edward Irving (1792-1834) – o pregador de maravilhas dos anos 1820, um homem que argumentava que o Filho de Deus havia assumido a natureza humana pecaminosa – parece pertinentes a Orígenes: ele era "um homem santo apesar de todas as suas ilusões e erros".[32] E precisamos levar a sério o desejo que Orígenes expressou quando disse: "Quero ser um homem da igreja, não o fundador de heresia. Quero ter o nome de Cristo e carregar este nome, que é bendito na terra. Anelo tanto ser um cristão quanto ser chamado de cristão em atos e em pensamentos".[33]

---

27 Ver E. T. Pollard, *Johanine Christology and the Early Church* (Cambridge: Cambridge University Press, 1970), 91-105.
28 Quanto ao arianismo, ver capítulo 6.
29 Quanto à preexistência da alma humana, ver Fred Norris, "Origen", em Philip F. Esler, ed., *The Early Christian World* (London: Routledge, 2000), 2:1019. Há evidência de que Origem chegou a rejeitar a ideia da salvação do Diabo como totalmente absurda (ibid., 2:2010).
30 Ver a breve discussão na introdução de Greer em sua obra *Origen*, 28-31, e Norris, "Origen", 2:1006-8.
31 *On the Holy Spirit* 29.73. Quanto à influência de Orígenes sobre Basílio e os capadócios, ver as breves observações de Greer, "Introduction", em sua obra *Origen*, 29.
32 Andrew A. Bonar, *The Life of Robert Murray M'Cheyne* (Ediburgh: Banner of Truth, 1960), 35.
33 *Homily on Luke 16.6* (tradução minha).

ESTUDO BÍBLICOS PIONEIROS DE ORÍGENES

Essencialmente, Orígenes precisa ser lembrado como um comentador da Bíblia interessado primeiramente em uma exegese cristológica das Escrituras. Antes de Orígenes, houve poucos cristãos que tentaram compor comentários sobre os livros do Antigo ou do Novo Testamento.[34] Jerônimo, autor e comentador latino do século IV, disse, em uma ocasião, que aconteceu-lhe ver um comentário sobre Provérbios escrito supostamente por Teófilo, bispo de Antioquia e apologista. Todavia, Jerônimo tinha suas dúvidas de que o comentário fosse realmente uma obra de um autor do século II. Clemente, o antecessor de Orígenes na escola de Alexandria, havia escrito uma obra intitulada *Hypotyposeis*, que se diz explicava tanto o Antigo como o Novo Testamento, mas os poucos fragmentos existentes dessa obra lidam apenas com o Novo Testamento. O único comentador cristão anterior a Orígenes – e ele era realmente um contemporâneo mais velho de Orígenes – que escreveu comentários sobre partes da Bíblia que chegaram até nós foi Hipólito (morreu cerca de 236), um presbítero em Roma do início do século III cuja pregação Orígenes ouvira em uma ocasião, quando viajara até Roma, em 212.[35] De Hipólito, temos o primeiro comentário existente de um livro do Antigo Testamento, da profecia de Daniel. Há também uma parte do comentário de Hipólito sobre Cântico dos Cânticos que sobrevive. Também sabemos que Hipólito escreveu comentários de outras seções do Antigo Testamento, incluindo Salmos, Gênesis e os profetas Isaías, Ezequiel e Zacarias, mas todos estes diversos comentários estão perdidos.

Parece que Orígenes era um homem de vigor prodigioso no que se referia aos estudos bíblicos. Ele preparou a enorme *Hexapla*, um conjunto de livros em que o hebraico do Antigo Testamento, sua transliteração grega e várias traduções gregas do Antigo Testamento conhecidas por Orígenes foram

---

34 Quanto a muitos dos detalhes nesta seção, devo-os a Joseph T. Lienhard, "Origen and the Crisis of the Old Testament in Early Church", *Pro Ecclesia 9*, n. 3 (2000): 360.

35 John McGukin, "A Christian Philosophy: Origen", em Jonathan Hill, *The New Lion Handbook: The History of Christianity Oxford*: Lion Hudson, 2007), 67.

escritas em colunas paralelas. Todo o conjunto a abrange pelo menos 1.600 páginas. Infelizmente, ele nunca foi recopiado e, talvez, foi destruído pela conquista muçulmana da Palestina no século VII. Restam apenas fragmentos de uma versão siríaca menos completa.

Havia, então, os comentários de Orígenes tanto do Antigo como do Novo Testamento.[36] Por exemplo, no que diz respeito aos comentários do Antigo Testamento, ele escreveu 13 livros sobre Gênesis, 36 sobre Isaías, 25 sobre Ezequiel, 25 sobre os Profetas Menores, 35 sobre Salmos, 3 sobre Provérbios, 10 sobre Cântico dos Cânticos e 5 sobre Lamentações. Ao todo, havia perto de 300 livros de comentários, embora a grande maioria deles foi perdida. No entanto, sermões expositivos sobre grandes partes do Antigo Testamento – o Pentateuco, Josué e Juízes, 1 Reis, Isaías, Jeremias, Ezequiel, Salmos, Jó, Provérbios, Eclesiastes e Cântico dos Cânticos – sobreviveram. No que diz respeito ao Novo Testamento, há comentários existentes sobre Mateus e João. Orígenes foi o primeiro a escrever um comentário sobre todas as epístolas de Paulo, embora, exceto o seu comentário sobre Romanos (numa tradução em latim e algumas poucas porções em grego), somente fragmentos destes comentários sobreviveram. Há também homilias existentes sobre os evangelhos. Também grande quantidade destas homilias não chegaram até nós. Como o historiador de patrística Fred Norris comenta sobre esta perda, "A decisão de não copiá-los [ou seja, estes comentários e homilias] ou de suprimi-los... nos deixou sem as muitas percepções quanto à espiritualidade e o misticismo cristãos que aprimoraram tão ricamente muito do corpus de Orígenes".[37]

Não há dúvida de que Orígenes foi o pioneiro do estudo cristão do Antigo Testamento. De fato, Joseph T. Lienhard argumentou convincentemente que, nos séculos II e III quando a igreja esteve envolvida com a heresia do gnosticismo, que em geral rejeitava o Antigo Testamento como revelação divina, esta batalha foi concluída decisivamente apenas com o grande programa

---

36 Quanto aos detalhes deste parágrafo, dependi de Lienhard, "Origen and the Crisis of the Old Testament", 362-63, e Norris, "Origen", 2: 1010-11, embora Lienhard e Norris discordem, às vezes, em termos de alguns dos números diferentes.

37 Norris, "Origen", 2:1010.

exegético de Orígenes que enfatizava os escritos da velha aliança e mostrou, sem sombra de dúvida, que o Antigo Testamento tinha de ser incluído na Bíblia cristã.[38]

MUDANDO-SE PARA CESAREIA E SENDO UM CONFESSOR

Em 230, Orígenes deixou Alexandria e foi para Cesareia, na Palestina, por causa de uma disputa com o seu bispo, Demétrio. Em uma visita anterior a Cesareia, Orígenes havia sido ordenado, uma ordenação que Demétrio considerou inválida, embora os bispos na Palestina, Fenícia, Arábia e Grécia estivessem ao lado de Orígenes.[39] Como resultado, Orígenes deixou Alexandria. Em Cesareia, com a ajuda de Ambrósio, ele estabeleceu uma forma de seminário cristão baseado em vida comunal.[40] Devemos notar que as obras mais especulativas de Orígenes – incluindo *Sobre os Primeiros Princípios* – foram escritas em Alexandria, enquanto a maioria das suas homilias – aquelas sobre o Heptateuco, Jeremias, Ezequiel, Cântico dos Cânticos, Lucas – e os comentários bíblicos (os livros mais tardios de seu comentário sobre João e os comentários sobre Gênesis, Salmos, Cântico dos Cânticos, Romanos e Mateus) datam de tempo em que ele viveu em Cesareia.[41]

No curso de seu *Comentário sobre Mateus*, que Orígenes escreveu em 248-249, ele fez um comentário impressionante sobre Mateus 24.9 ("Então, sereis atribulados, e vos matarão. Sereis odiados de todas as nações, por causa do meu nome"). Orígenes reconheceu que ainda não houvera uma perseguição em todo o império contra os cristãos, mas, quando essa perseguição chegasse, as palavras do versículo 10 – "muitos hão de se escandalizar" – também aconteceriam. Dentro de um ano ou mais, a predição de Orígenes se cumpriu. Aqueles cristãos

---

38 Lienhard, "Origen and the Crisis of the Old Testament", 355-66.
39 Edgar J. Goodspeed, *A History of Early Christian Literature*, rev. ed., ed. Robert M. Gant (Chicago: University of Chicago Press, 1966), 135.
40 Barnes, *Constantine and Eusebius*, 84-85.
41 Gerard E. Caspary, *Politics and Exegesis: Origen and the Two Swords* (Berkeley: University of California Press, 1979), 7.

que eram mais novos do que Orígenes, o qual, à época, estava na metade de seus anos sessenta, nunca tinham experimentado perseguição. Em 249, um general romano da Ilíria chamado Trajano Décio (reinou em 249-251) se tornou o imperador e desencadeou uma perseguição violenta contra a igreja. Uma ordem imperial no sentido de que todos os cidadãos sacrificassem aos deuses romanos foi emitida, e a perseguição deciana, como foi chamada, foi desencadeada contra a igreja. Houve muitos que negaram a sua fé e tentaram comprar certificados que indicavam que eles haviam feito os sacrifícios. Orígenes foi detido e aprisionado. O juiz encarregado de seu caso não estava interessado em matá-lo e, assim, criar um mártir famoso. Em vez disso, ele preferiu torturar Orígenes de tal modo que o exegeta cederia e negaria a fé. Mas Orígenes não sucumbiu. Por fim, depois de seu corpo ter sido afligido na roda de tortura e a perseguição chegar ao fim com a morte de Décio, ele foi libertado. Posteriormente, ele morreu como resultado da tortura pela qual passara. Tecnicamente, ele não foi um mártir, somente um confessor – ou seja, alguém que foi provado por sua fé e que saiu vivo. Alguns têm reconhecido que se ele tivesse morrido como um mártir, talvez seria lembrado de maneira bem diferente.[42] Apesar disso, Orígenes passou por um dos maiores desafios que um cristão de seus dias poderia enfrentar – e saiu vitorioso. Sua devoção a Cristo, à sua Palavra e ao seu povo era genuína – e Orígenes estava disposto a morrer por essa devoção.

INTERPRETANDO AS ESCRITURAS

À luz da opinião hostil sobre o cristianismo por parte da cultura greco-romana, vale a pena notar que Orígenes achou importante engajar-se em sua cultura. De fato, ao fazer isso, ele mostrou que era, sem dúvida alguma, o maior pensador de seus dias, pagão ou cristão, alguém que estava tentando convencer os outros sobre "a importância da vida cristã e por que uma pessoa devia se tornar um cristão".[43] Sua grande obra *Contra Celso* foi uma resposta inteligente

---

42 Trigg, *Origen*, 61.
43 John Clark Smith, *The Ancient Wisdom of Origen* (Cranbury, NJ: Associated University Presses, 1992), 15.

aos ataques do filósofo pagão Celso (influente em 160-180), que criticava as afirmações exclusivas do cristianismo, bem como a doutrina da encarnação em sua obra *Discurso Verdadeiro* (c. 170).[44] Muitas das obras teológicas de Orígenes, especificamente *Sobre os Primeiros Princípios*, também precisam ser vistas como tentativas apologéticas de falar à educada cultura grego-romana à sua volta, que era constituída de uma miscelânea de filosofias pagãs, cultos de mistério, grupos gnósticos e religiões orientais. Estes dois livros, *Contra Celso* e *Sobre os Primeiros Princípios*, revelam claramente que o empreendimento teológico de Orígenes não era definido pela cultura, mas, antes, ela era moldada fundamentalmente pela missão direcionada à cultura. Em muitas maneiras, Orígenes foi bem sucedido em expor o cristianismo em termos significativos para o mundo greco-romano ao seu redor.[45]

A Bíblia era central no engajamento de Orígenes com a cultura greco-romana.[46] Embora as Escrituras tenham sido consideradas frequentemente como escritos "bárbaros", pelos eruditos gregos e romanos, elas cumpriram um papel importante na evangelização do Império Romano. Tatiano (influente nos anos 170) e Teófilo de Antioquia, por exemplo, atribuíram sua conversão diretamente à leitura das Escrituras.[47] Orígenes era firmemente convicto de que a Bíblia podia realizar tais conversões, porque estes "livros sagrados não são obra de homens, mas... eles foram compostos e chegaram até nós como resultado da inspiração do Espírito Santo, pela vontade do Pai

---

44 Quanto a uma visão geral de *Contra Celso*, de Orígenes, ver a introdução de Henry Chadwick em *Origen: Contra Celsum*, trad. Chadwick (Cambridge: Cambridge University Press, 1953), ix-xl (daqui para frente, Chadwick, *Origen: Contra Celsum*): Michael Frede, "Origen's Treatise Against Celsus", em Mark Edwards, Martin Goodman e Simon Price, com Christopher Rowland, *Apologetics in the Roman Empire: Pagans, Jews, and Christians* (Oxford: Oxford University Press, 1999), 133-55.

45 Greer, "Introduction", em sua obra *Origen*, 33.

46 Duas opiniões proveitosas sobre os vários aspectos da interpretação da Bíblia por parte da igreja antiga podem ser achadas em James L. Kugel e Rowan A Greer, *Early Biblical Interpretation* (Philadelphia: Westminster Press, 1986), e John J. O'Keefe e R. R. Reno, *Sanctified Vision: An Introduction to Early Christian Interpretation of the Bible* (Baltimore: John Hopkins University Press, 2005).

47 Ver Tatiano, *Aos Gregos* 28-29; Teófilo de Antioquia, *A Autólico* 1.14. Michael Greer faz esta observação: "Do livro de Atos dos Apóstolos até... Orígenes, achamos a mesma história repetida vez após vez. Discussão com cristãos, argumentação com eles, aborrecimento com eles, isso leva o inquiridor a ler estes 'escritos bárbaros' [ou seja, as Escrituras] por si mesmo. E, uma vez que uma pessoa começa a ler, as Escrituras exercem sua fascinação e poder". *Evangelism in the Early Church* (Grand Rapids: Eerdmans, 1970), 234.

do universo, mediante Jesus Cristo".[48] Aqui, a ênfase está na atividade do Espírito Santo: foi o Espírito quem "compôs" ou "supervisionou" a formação das Escrituras.[49] Novamente, Orígenes podia sustentar: "Não somente o Espírito supervisiona os escritos que foram anteriores à vinda de Cristo, mas, visto que é o mesmo Espírito e procede do mesmo único Deus, ele lida desta maneira com os evangelhos e os escritos dos apóstolos".[50] Aqui, além de afirmar a autoria divina das Escrituras, Orígenes também reafirma uma chave hermenêutica achada, por exemplo, em seu contemporâneo mais velho Irineu de Lion – ou seja, a unidade dos Testamentos como sendo a obra do único e mesmo Espírito Santo. Como Orígenes disse a Celso: "O evangelho não estabelece leis em contradição com o Deus da lei... Nem o Pai esqueceu, quando enviou Jesus, os mandamentos que havia dado a Moisés".[51]

Além disso, esta obra do Espírito se estende a cada letra da Escritura: "A sabedoria de Deus penetra todas as Escrituras inspiradas por Deus, até à menor letra".[52] O resultado é que todas as Escrituras podem ser chamadas de "as palavras de Deus".[53] Para Orígenes, o verdadeiro autor tanto do Antigo como do Novo Testamento é o Espírito Santo.[54] A. Zöllig expressou isso acertadamente, quando disse: "[Para Orígenes,] a Escritura Sagrada tem uma natureza divina, e isto é verdade não somente porque ela contém ideias divinas, nem porque o sopro do Espírito divino se manifesta em suas linhas... mas porque ela tem Deus como seu autor".[55] De fato, o teólogo Hans Urs von Balthasar, no século XX, chegou a afirmar que Orígenes "sacramentava a Es-

---

48 *On First Principles* 4.2.2, em Butterworth, *Origen: On First Principles*, 272. Ver também *On First Principles* 4.2.7; 4.3.14.

49 Michael W. Holmes, "Origen and the Inerrancy of Scripture", *Journal of Evangelical Theological Society* 24 (1981): 221.

50 *On First Principles* 4.2.9, em Butterworth, *Origen: On First Principles*, 287.

51 *Against Celsus* 7.25, Chadwick, *Origen: Contra Celsum*, 425.

52 *Philocalia* 2.4 (tradução minha).

53 *On First Principles* 4.2.9, em Butterworth, *Origen: On First Principles*, 265.

54 Em *Against Celsus* 4.71, Orígenes pôde dizer alternativamente: "O Logos de Deus parece ter arranjado as Escrituras" (Chadwick, *Origen: Contra Celsum*, 240).

55 Citado por Dan G. McCartney, "Literal and Allegorical Interpretation in Origen's *Contra Celsum*", *Westminster Theological Journal* 48 (1986): 287.

critura, afirmando que o Espírito de Deus habita nela com a mesma presença real com que habita na igreja".[56]

Tudo isso é vital ao entendimento da exegese de Orígenes. Nas palavras de Ronald Heine, erudito em Orígenes, "não entenderemos a maneira pela qual Orígenes interpreta a Bíblia se ignoramos este ponto básico, que é sempre o Espírito Santo que fala no texto da Bíblia".[57] Consequentemente, toda letra da Escritura é valiosa; isso explica por que Orígenes dedicava muito tempo e vigor à definição do texto correto das Escrituras.

O valor do texto não está unicamente na própria letra. Ele pode ser achado frequentemente apenas por ir além da letra, ao significado verdadeiro que a Escritura tenciona comunicar. Se o exegeta permanece no nível da letra da Escritura, ele será forçado a reconhecer inúmeras coisas ilógicas e impossíveis, bem como coisas que se afastam da majestade divina. O exegeta tem de ir além e por baixo da letra da Escritura, para descobrir o significado espiritual colocado em oculto pelo Espírito Santo. A Escritura é, portanto, um texto codificado.

A atitude de Orígenes em recorrer à alegorização – pela qual, nas palavras de James L. Kugel, "pessoas e incidentes se tornavam representantes de virtudes abstratas, ou doutrina, ou incidentes na vida da alma"[58] – foi uma subsunção ao recurso literário favorecido tanto na academia greco-romana como no mundo do judaísmo helenista. No século II a.C., escritores judeus helenistas, especialmente aqueles residentes em Alexandria, usavam a alegorização para explicar o Antigo Testamento. Eles a haviam derivado dos gregos pagãos na interpretação posterior de Homero. A alegorização grega de Homero já era bem difundida por volta do século V a.C. De acordo com Orígenes, ela se originou com um certo Ferécides de Siros (influente em cerca de 600 a.C.).[59] Aconteceu que, na leitura do Pentateuco, os judeus helenistas acharam invariavelmente aquilo que parecia detalhes insignificantes – nomes de pessoas e lugares não familiares ou leis que pareciam bastante mundanas. Como eles de-

---

56 Prefácio no livro de Greer, *Origen*, xiii.
57 "Reading the Bible with Origen", em *The Bible in Greek Christian Antiquity*, ed. Paul M. Blowers (Notre Dame, IN: University of Notre Dame Press, 1997), 132.
58 Kugel e Greer, *Early Biblical Interpretation*, 81.
59 *Against Celsus* 6.42. Ver McCartney, "Literal and Allegorical Interpretation", 282-83.

veriam entender melhor essas coisas? Sob a influência da alegoria grega, eles procuraram um significado mais profundo não evidente de imediato numa leitura superficial do texto.[60] É vital compreendermos que este interesse na alegorização levou à opinião de que um texto histórico tinha valor trans-histórico somente se pudesse ser alegorizado. Um texto que é meramente histórico não pode ser divino em seus ensinos.[61] Por isso, o pagão Celso acusava a Bíblia de não ser um livro divino, pois ela não podia ser alegorizada.[62]

Orígenes também usou amplamente este método de exegese.[63] No entanto, ele nunca o usou ignorando os outros métodos. Ele usou o argumento cristão primitivo familiar que tinha como base a profecia, ou seja: os vários textos do Antigo Testamento têm um cumprimento profético em Cristo, um método de interpretação achado extensivamente, por exemplo, em *Diálogo com Trifo*,[64] de Justino Mártir. E Orígenes se recusou a rejeitar textos "meramente" históricos, visto que essas "passagens que são historicamente verdadeiras são muito mais numerosas do que aquelas que são compostas de significados puramente espiritual".[65]

Portanto, Orígenes pode surpreender o leitor. Onde alguém esperaria vê-lo recorrer à alegoria, ele permanece apegado firmemente ao texto. Considere sua interpretação do voto de Jefté (Jz 11.29-40), que se acha não em sua homilia sobre a passagem de Juízes, mas em alguns comentários que ele fez a respeito de João 1.29.[66] Embora nove das homilias de Orígenes sobre

---

60 Kugel e Greer, *Early Biblical Interpretation*, 81-82.

61 McCartney, "Literal and Allegorical Interpretation", 283.

62 *Against* Celsus 1.17-18. Ver também McCartney, "Literal and Allegorical Interpretation", 283.

63 Quanto à alegorização de Orígenes, ver o proveitoso resumo escrito por Thomas P. Scheek, "General Introduction", em *Origen: Homilies 1-14 on Ezekiel*, trad. Scheck, Ancient Christian Writers 62 (New York: Newman, 2010), 3-7.

64 Kugel e Greer, *Early Biblical Interpretation*, 179.

65 *On First Principles* 4.3.4, em Butterworth, *Origen: On First Principles*, 295.

66 *Commentary on John* 6.35-36. Este livro segue a numeração dada na tradução feita por Allan Menzies, *Epistle to Gregory and Origen's Commentary on the Gospel of John*, The Ante-Nicene Fathers 10 (repr., Edinburgh: T&T Clark; Grand Rapids: Eerdmans, 1986). Quanto à interpretação de Origem sobre a filha de Jefté, beneficiei-me dos comentários de Robert J. Daly, "Sacrificial Soteriology: Origen's Commentary on John 1,29", em *Origeniana Secunda*, ed. Henri Crouzel e Antonio Quacquarelli, Quaderni di "Vetera Christianorum" 15 (Rome: Edizioni dell' Ateneo, 1980), 151-63; John L. Thompson, *Writing the Wrongs: Women of The Old Testament among Biblical Commentators from Philo through the Reformation* (Oxford: Oxford University Press, 2001), 113-14; Thompson, "Scripture, Tradition, and the Formation of Christian Culture: The Theological and Pastoral Function of the History of Interpretation", *Ex Auditu* 19 (2003): 30-31.

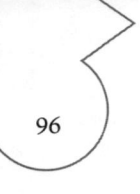

Juízes tenham sobrevivido, elas tratam apenas de Juízes 1 a 7 e não de Juízes 11. Orígenes acabara de afirmar que as palavras de João Batista, registradas em João 1.29, se referiam especificamente à humanidade de Cristo. Em seguida, ele comentou:

> Este cordeiro imolado se tornou realmente, de acordo com certas razões inefáveis, uma purificação para todo o mundo em favor do qual, seguindo o plano amoroso do Pai, ele aceitou a imolação, resgatando-nos por seu sangue daquele que chegou a possuir-nos [ou seja, Satanás], quando fomos vendidos como escravos por causa de nosso pecado. E aquele que conduzia este cordeiro para o sacrifício era Deus em homem, o grande sumo sacerdote, que deixou isto claro com as palavras: "Ninguém a tira de mim; pelo contrário, eu espontaneamente a dou. Tenho autoridade para a entregar e também para reavê-la. Este mandato recebi de meu Pai" [Jo 10.18].[67]

Logo depois disto, Orígenes liga a morte de vários crentes no Antigo Testamento e o "derramamento do sangue dos nobres mártires" à morte de Cristo.[68] Os sacrifícios do Antigo Testamento eram "um símbolo" da morte de Cristo, e, de modo similar, a morte dos mártires apontam para a morte de Cristo. Uma similaridade entre a morte dos mártires e a morte de Cristo é que a morte dos mártires beneficiam a igreja, embora, obviamente, não beneficie de alguma maneira semelhante ao sacrifício consumado do Senhor. Para entender com mais clareza como a morte dos mártires podem beneficiar outros, Orígenes sugeriu meditar sobre a morte da filha de Jefté.

Orígenes observou, antes de tudo, que essa história dá a Deus uma aparência de "grande crueldade". Semelhantemente, talvez pareça cruel Deus exigir o martírio.[69] Sua resposta a esta possível acusação, em ambos os casos,

---

67 *Commentary on John* 6.53, em Daly, "Sacrificial Soteriology", *Origeniana Secunda*, ed. Crouzel e Quacquarelli, 156.
68 Daly, "Sacrificial Soteriology", *Origeniana Secunda*, ed. Crouzel e Quacquarelli, 156.
69 Thompson, "Scripture, Tradition, and the Formation of Christian Culture", 30.

foi tríplice. Orígenes lembrou a seus leitores a incapacidade básica que os homens têm para entender os caminhos de Deus, em relação ao que ele citou Sabedoria de Salomão 17.1: "Grande são os seus juízos e difíceis de explicar; por isso, almas ignorantes têm errado". Orígenes parecia estar dizendo que o martírio talvez pareça um desperdício, como a morte da filha de Jefté, mas a igreja tem de crer, pela fé, que Deus o usa para o bem.[70] Depois, Orígenes comentou que era sabido que até alguns pagãos, para deter uma praga ou uma fome, ofereciam-se a si mesmo em sacrifício aos seus deuses ou deusas. Por isso, ele asseverou que os cristãos tinham de crer que a morte dos santos mártires podia realmente ajudar em romper os laços dos poderes demoníacos. O que vale a pena enfatizar é que Orígenes se recusou a empregar alegoria para escapar das dificuldades do texto.

Em geral, diferentemente dos alegoristas pagãos, que não viam valor no texto literal, Orígenes discernia três valores no texto literal.[71] Primeiro, a Bíblia contém realmente história verdadeira e importante; ignorar isso significaria eviscerar o cristianismo. Isto é completamente diferente da alegorização pagã e bastante diferente de Filo (c. 20 a.C.- 50 d.C.), intérprete judeu e alexandrino, que não tinha qualquer senso de história. Assim, por exemplo, Orígenes defenderá a historicidade dos acontecimentos da vida de Cristo.[72] Ou considere a viagem que Orígenes fez através da Palestina para descobrir se havia ou não uma Betânia "do outro lado do Jordão", como João o disse (Jo 1.28).[73] Segundo, Orígenes sempre foi consciente de que a igreja continha crentes "simples" que eram edificados pelo sentido literal do texto. Por fim, o significado literal não tem um valor apologético claro. Devemos ressaltar, por exemplo, que Orígenes se restringiu no uso de alegoria em *Contra Celso*.

Tudo isto é muito instrutivo para entendermos o uso de alegorias por parte de Orígenes. Na opinião dele, uma pessoa não deveria recorrer fa-

---

70 Ibid.
71 Quanto a estes três valores, ver McCartney, "Literal and Allegorical Interpretation", 287-89.
72 Ver *On First Principles* 4.3.4.
73 *Commentary on John* 6.24. Isto segue a numeração usada na tradução de Menzies, *Epistle to Gregory and Origen's Commentary on the Gospel of John*.

cilmente a este método de interpretação. Como Henry Chadwick observa, Orígenes excluía o sentido literal somente em casos raros.[74] E, nas palavras de Gerald Bostock, "Orígenes se interessava em defender os fundamentos históricos da Escritura sobre os quais ele edificou sua casa de tesouro de sabedoria alegórica".[75] Orígenes condenou explicitamente aqueles que descartavam totalmente o elemento histórico da Escritura. Como Chadwick observa, Orígenes tinha diante de si o gnosticismo valentiniano, que alegorizava tudo tão livremente e que, ao fazer isso, cometia o erro de "dissolver a história em um mito sem fim".[76]

No entanto, embora Orígenes não quisesse claramente descartar a história como algo sem valor – essa era a maneira da exegese gnóstica – sua metodologia exegética não envolvia um apego robusto à importância da história. Nas palavras de R. P. C. Hanson: Orígenes "defende a historicidade da maioria dos eventos relatados na Bíblia... Mas ele reduz perigosamente a importância da história... Em sua visão, a história, se ela deve ter realmente alguma importância, pode ser não mais do que uma parábola em atos, um charada para mostrar verdades eternas sobre Deus".[77] Há certamente alguma verdade nesta crítica. Por exemplo, Orígenes podia afirmar que o principal valor de um milagre não é que ele realmente aconteceu, e sim a verdade que está oculta nele.[78]

TRÊS PRINCÍPIOS DE INTERPRETAÇÃO

Quando alguém investiga a exegese de Orígenes, descobre mais três princípios de interpretação. Primeiro, a Escritura precisa ter um significado ou aplicação presente. Orígenes cita frequentemente 1 Coríntios 10.6 e 11

---

74 *The Church in Ancient Society: From Galilee to Gregory the Great* (Oxford: Oxford University Press, 2001), 137.
75 "Allegory and the Interpretation of the Bible in Origen", *Journal of Literature and Theology* 1, n. 1. (March 1987): 49.
76 *Early Christian Thought and Classical Tradition* (London: Oxford University Press, 1966), 11. Orígenes era, portanto, cônscio de que a alegoria não era garantia de ortodoxia. Ver Vogt, "Origen of Alexandria", 537.
77 R. P. C. Hanson, *Allegory and Event: A Study of the Sources and Significance of Origen's Interpretation of Scripture* (1959; repr., Louisville, KY: Westminster John Knox, 2002), 364.
78 *Against Celsus* 2.48.

para enfatizar o significado existencial da Palavra de Deus. Comentando, por exemplo, a referência a barro e tijolos, em Êxodo 1.14, ele afirmou: "Estas palavras não foram escritas para nos ensinar sobre história, nem devemos pensar que os livros divinos narram os atos dos egípcios. Mas o que foi escrito foi escrito para nossa instrução e admoestação".[79] Uma sentença em suas *Homilias sobre Gênesis* resume sua abordagem neste respeito. Comentando Gênesis 18.8 – "e [Abraão] permaneceu de pé... debaixo da árvore", Orígenes disse: "Que proveito obtenho eu, que desejo ouvir o que o Espírito Santo ensina à raça humana, se ouço que 'Abraão permaneceu de pé debaixo da árvore'?"[80]

Segundo, Orígenes procurava interpretar a Escritura de acordo com a regra de fé. Nenhum intérprete pode dar-se ao luxo de ignorar o entendimento universal da fé, tampouco pode ignorar a obra de intérpretes anteriores da Bíblia. Orígenes teria concordado sinceramente com o batista Charles H. Spurgeon, que, como já vimos, achou estranho "que certos homens que falam tanto sobre o que o Espírito Santo lhes revela pensem tão pouco no que ele revelou a outros".[81] Orígenes era ciente de que tinha sempre de checar a sua exegese com a de outros exegetas, sendo a Escritura a fonte crucial de autoridade.[82] Nas palavras de Rowan A. Greer, Orígenes "argumentava constantemente que a regra de fé e a Escritura tinham de ser usadas para testar suas especulações. Se elas se mostrassem contrárias às especulações, estas deviam de ser rejeitadas".[83] Por isso, Orígenes pôde afirmar em sua *Homilia sobre Ezequiel 7.2*: "Temos nas Escrituras Sagradas vasos de ouro e de prata... e, quando alteramos o significado da Escritura em um sentido que é contrário à verdade, diluímos as palavras de Deus e tornamos as coisas de Deus em falsas imagens".[84]

Terceiro, o exegeta tem de ser uma pessoa do Espírito. Somente alguém que vive e anda no Espírito pode esperar entender as verdades pro-

---

79 *Homily on Exodus* 1.5 (tradução minha). Quanto a mais usos de 1 Coríntios 10 neste respeito, ver também Mark Sheridan, "Scripture", em *Westminster Handbook to Origen*, ed. McGuckin, 199.
80 Citado por Lienhard, "Origen and the Crisis of the Old Testament", 364.
81 *Commenting and Commentaries* (London: Passmore & Alabaster, 1876), 1.
82 McCartney, "Literal and Allegorical Interpretation", 290-92.
83 Greer, "Introduction", em sua obra *Origen*, 30.
84 *Homily on Ezekiel* 7.2, citado por Bostock, "Allegory and the Interpretation of the Bible", 49.

fundas que o Espírito implantou no texto da Escritura. Por exemplo, em seu tratado contra Celso, Orígenes escreveu a respeito de Salmos 17.12:

> Deus oculta-se a si mesmo, como em trevas, daqueles que não podem suportar o brilho do seu conhecimento e que não podem vê-lo, em parte por causa da corrupção da mente que está presa a um corpo humano de "humilhação" [Fp 3.21], em parte por causa de sua capacidade restrita de compreender a Deus. Para deixar claro que a experiência do conhecimento de Deus vem ao homem em ocasiões raras e será achada por poucas pessoas, a Escritura diz que Moisés entrou na "nuvem escura onde Deus estava" [Êx 20.21]. E, novamente, é dito sobre Moisés: "Só Moisés se chegará ao SENHOR; os outros não se chegarão" [Êx 24.2]. E, outra vez, para que o profeta mostre a profundeza das doutrinas sobre Deus, que é insondável para pessoas que não possuem o Espírito que perscruta todas as coisas, até as coisas profundas de Deus [1 Co 2.10], ele diz: "Tomaste o abismo por vestuário" [Sl 104.6].[85]

Em si mesmo, Deus é luz. Para os homens, porém, Deus parece ocultar-se frequentemente em trevas, visto que a natureza corporal e finita dos homens impede uma verdadeira compreensão de Deus. Para Orígenes, Salmos 104.6 é um testemunho claro da grande profundeza de conhecimento sobre Deus que não é sondada pela maioria dos homens. Alguns homens, como Moisés, recebem este conhecimento. Mas é somente por meio do Espírito, que, conforme 1 Coríntios 2.10, perscruta as profundezas de Deus, que algum homem pode esperar ser um recipiente desse conhecimento. Neste caso, 1 Coríntios 2.10 demonstra a possibilidade de atingir conhecimento das doutrinas mais profundas sobre Deus por meio do Espírito. Para Orígenes, a fonte destas doutrinas mais profundas são as Escrituras inspiradas pelo Espírito. Mas, como já notamos, visto que o próprio Espírito ocultou estas doutrinas mais profundas por baixo da letra da Escritura, somente ele pode revelá-las.

---

85 *Against Celsus* 6.17, em Chadwick, *Origen: Contra Celsum*, 330.

Uma passagem do *Comentário sobre Mateus*, de Orígenes, é um excelente exemplo deste princípio hermenêutico. Orígenes está discutindo a parábola do servo incompassivo (Mt 18.23-35) e dá aquilo que ele pensa ser o seu significado óbvio. Em seguida, depois de alistar aqueles aspectos da parábola que talvez tenham um sentido místico, ele acrescenta:

> Mas é muito provável que um inquiridor mais diligente seria capaz de acrescentar algo mais ao número [de detalhes da parábola que tinham um significado mais profundo]. Eu considero a explicação e a interpretação [destes detalhes] como algo que está além da capacidade humana. O Espírito de Cristo é exigido para que Cristo possa ser entendido como ele tencionava. Pois, assim como ninguém sabe os pensamentos de um homem, "senão o seu próprio espírito, que nele está", assim também ninguém conhece os pensamentos de Deus, "senão o Espírito de Deus" [1 Co 2.11]. Portanto, depois de Deus, ninguém, exceto o Espírito de Cristo, sabe o que foi falado por Cristo nos provérbios e parábolas. Aquele que participa [do Espírito de Cristo], não somente porque ele é o Espírito de Cristo, mas também porque [o Espírito é] de Cristo como Sabedoria e como Palavra, somente esse seria capaz de contemplar o que lhe é revelado nesta passagem.[86]

Somente aqueles que têm o Espírito de Cristo podem entender o significado espiritual das Escrituras. Os exegetas da igreja têm de ser, portanto, pessoas altamente espirituais.

"O PAI FUNDADOR DA ALEGORIA NA IGREJA"[87]

Havendo definido os parâmetros com os quais Orígenes procurava interpretar as Escrituras, vejamos agora a sua defesa da alegoria em *Sobre*

---

86 *Commentary on Matthew* 14.6 (tradução minha).
87 Bostock, "Allegory and the Interpretation of the Bible", 43.

os *Primeiros Princípios* 4.2-3. Antes de tudo, ele indica maneiras errôneas de interpretação. Há o que ele chama de literalismo judaico, que, conforme ele estava convencido, leva à incredulidade. O erudito cristão primitivo tem em mente, neste ponto, o judaísmo rabínico e sua reivindicação de que somente ele pode interpretar apropriadamente o Antigo Testamento. Esta forma de judaísmo era um aspecto-chave do contexto religioso dos dias de Orígenes. Mais do que qualquer outra pessoa de seus dias, Orígenes tinha conhecimento exato do judaísmo e da interpretação judaica do Antigo Testamento. Depois, há uma crítica da exegese gnóstica, pois os gnósticos rejeitam todo o Antigo Testamento, e isto leva a heresia teológica. Por trás da maior parte da interpretação de Orígenes, há uma agenda antignóstica. E, neste respeito, ele estaria consciente dos críticos da alegorização, como Tertuliano, seu colega norte-africano, o qual argumentava que "alegorias, parábolas e enigmas" são o método preferido que os hereges usam para rejeitar o Novo Testamento.[88] Por fim, há a perspectiva ingênua dos cristãos "simples". Orígenes não quer que seus leitores permaneçam neste nível, visto que, por manterem um entendimento literalista da Escritura, eles reduzirão algumas partes da Escritura à incoerência e confusão, como veremos que ele argumenta. E essa interpretação leva a opiniões escandalosas sobre Deus.

Depois, Orígenes se volta a uma defesa da interpretação alegórica. Antes de tudo, ele apela ao exemplo de Paulo que achamos em 1 Coríntios 10.4 e Gálatas 4.21-24.[89] De modo semelhante, em *Contra Celso*, Orígenes apela a Gálatas 4, Efésios 5.31-32 e seleciona textos de 1 Coríntios (9.9-10; 10.1-2, 4) para justificar o uso de alegoria. Para Orígenes, sua alegorização tinha um precedente bíblico claro.[90] Além disso, ele nota que o Espírito Santo incluiu nas narrativas bíblicas algumas coisas que "não aconteceram" e algumas que não podiam ter acontecido, ambas as quais exigem uma explicação alegórica.[91] Também, Orígenes acredita que o Espírito integrou no Antigo Testamento leis e exigências

---

88 *Scorpiace* (*Antidote to the Scorpion's Sting*) 11.4.
89 *On First Principles* 4.2.6.
90 *Against Celsus* 4.44, 49. Ele também se referiu a Salmos 78.2 e 119.18 na ocasião.
91 *On First Principles* 4.2.9; 4.3.1.

que não podem ser cumpridas.[92] Isto é verdadeiro também no que diz respeito a certos mandamentos no Novo Testamento. Por exemplo, entender literalmente o mandamento, expresso no Sermão do Monte, de arrancar o olho direito se ele causa tropeço (Mt 5.29) é simplesmente irracional.[93] Por meio dessas interpolações manifestamente "irreais" e "impossíveis", o Espírito Santo procura impedir que leiamos a Escritura Sagrada como qualquer outra obra da literatura mundial, apenas pelo prazer e, por conseguinte, de modo meramente superficial.[94]

O exegeta tem de penetrar além da superfície do texto sagrado, até às suas profundezas. Orígenes compara o exegeta envolvido nesta tarefa de descoberta a um homem que acha um tesouro escondido num campo (Mt 13.44). As verdadeiras riquezas devem ser encontradas abaixo da superfície – em um caso, a superfície da terra; em outro caso, a superfície do texto.[95] A opinião de Orígenes sobre a Bíblia como uma casa de tesouro de riquezas espirituais pode ser vista neste texto. Em seu *Comentário sobre Romanos*, Orígenes relaciona a Bíblia, nas palavras de Joseph W. Trigg, a "um depósito no palácio de um rei poderoso e rico, um lugar que tem muitos cômodos diferentes cheios de ouro, prata, pedras preciosas, pérolas, vestes de púrpura e coroas".[96]

Além disso, em *Sobre os Primeiros Princípios* 4.2.4, Orígenes utiliza a clássica divisão tríplice que os gregos faziam da pessoa humana – corpo, alma e espírito – para argumentar que a Escritura opera realmente em três níveis: o "físico", o "psíquico" e o "espiritual". Alguns eruditos têm argumentado que esta divisão de Orígenes corresponde à sua maneira de entender as Escrituras conforme três perspectivas diferentes: a histórica, a moral e a mística.[97] Outros, como Karen Jo Torjesen, têm argumentado que Orígenes não está dando aqui uma maneira tríplice de interpretar a Escritura. Antes, ele está enume-

---

92 *On First Principles* 4.3.2.
93 *On First Principles* 4.3.3.
94 *On First Principles* 4.2.9.
95 *On First Principles* 4.3.11.
96 Joseph W. Trigg, "Introduction", em Hanson, *Allegoria and Event*, xxv.
97 Bostock, "Allegory and the Interpretation of the Bible", 43.

rando três classes de ouvintes – os simples, os mais avançados e aqueles que se afadigam rumo à perfeição, os maduros (*teleioi*) – bem como três níveis diferentes de crescimento no entendimento pessoal da Palavra de Deus.[98] Neste caso, a triplicidade é uma triplicidade no progresso da alma do estudante da Escritura. Mas, se isto é verdade, precisamos notar que Orígenes não indica claramente nesta obra como uma pessoa vai do nível de história para o nível do Espírito na interpretação. Nas palavras de Torjesen, em vez de "oferecer-nos uma hermenêutica exegética do texto, ele nos oferece uma hermenêutica pedagógica da alma".[99] Em sua análise de várias homilias de Orígenes, Torjesen nota que Orígenes não as estrutura de acordo com estas linhas de progresso da alma, movendo-se geralmente do ensino moral e doutrinário mais simples para mistérios mais profundos de Deus, alguns dos quais ele menciona em *Sobre os Primeiros Princípios* 4.2.7, tais como a natureza da encarnação e por que o mal existe.[100] Neste sentido, o alvo da exegese é a formação espiritual.

Embora o estudante moderno da Bíblia não concorde com todas as interpretações de Orígenes, este último ponto parece ser vital. A exegese tem um importante componente espiritual. O intérprete da Bíblia procura entender o texto, mas esta tarefa de interpretação não pode acontecer em um vácuo existencial. Enquanto ele lê o texto e labuta para entender seu significado e aplicação, o texto tem sua própria obra a cumprir em moldar o caráter do exegeta. De fato, qualquer um que gasta tempo interagindo seriamente com o enorme corpus exegético e homilético de Orígenes percebe, com clareza, que está lidando com um homem de profunda maturidade espiritual, resultado de sua imersão nas Escrituras, quer concorde, quer não, com os métodos e os detalhes da interpretação do exegeta egípcio.

---

98 "'Body', 'Soul', and 'Spirit' in Origen's Theory of Exegesis", *Anglican Theological Review* 67 (1985): 17-30.
99 Ibid., 22.
100 Ibid., 24-29.

CAPÍTULO 5

SENDO BEIJADO

A Piedade Eucarística de Cipriano e de Ambrósio

Beija-me com os beijos de tua boca;
porque melhor é o teu amor do que o vinho.
CÂNTICO DOS CÂNTICOS 1.2

Naquela que é a mais antiga descrição romana e pagã do cristianismo, o governador imperial Plínio, o jovem (61/62-c. 113), menciona, em uma carta ao imperador Trajano (reinou em 98-117), que os cristãos na Bitínia e no Ponto que haviam sido levados a julgamento porque suas crenças tinham o hábito de se reunir semanalmente para "participar de alimento – mas era alimento comum e inofensivo".[1] A surpresa evidente de

---

[1] A maior parte deste capítulo forma um capítulo mais amplo sobre a Ceia do Senhor na igreja antiga que escrevi para Thomas R. Schreiner e Matthew Crawford, eds., *The Lord's Supper: Sign of the New Covenant in Christ* (Nasshville: Broadmam & Holman, no prelo). Usado com permissão Pliny, *Letter* 10.96. Quanto à data desta carta, ver A. N. Sherwin-White, *The Letters of Pliny: A Historical and Social Commentary* (Oxford: Clarendon, 1966), 693. Quanto à sua interpretação, ver também Jorg Christian Salzmann, "Pliny (*ep.* 10,96) and Christian Liturgy – A Reconsideration", em *Studia Patristica*, ed. Elizabeth A. Livingstone (Louvain: Peetersm 1989), 20:389-95. Quanto a uma tradução em inglês desta carta, ver Betty Radice, *The Letters of the Younger Pliny* (Harmondsworth, UK: Penguin, 1963), 293-95.

Plínio quanto ao fato de que o alimento consumido por esses cristãos era "comum e inofensivo" parece revelar que ele esperava achar algo bem diferente, ou seja, "refeições sinistras e perversas".[2] Essas refeições, supostamente consumidas pelos cristãos, foram descritas de maneira sensacionalista numa fala de meados do século II que os eruditos atribuem ao gramático e retórico romano Marco Cornélio Fronto (c. 100-166/176) e que foi citada pelo apologista cristão Minucius Felix (influente em 200-235) em sua refutação aos ataques à fé cristã:

> A história da iniciação de seus [ou seja, dos cristãos] novatos [é] tão horrível como é bem sabido. Um bebê coberto de massa de farinha, para enganar o ingênuo, é colocado diante do iniciado em seus ritos. Ao ver a massa de farinha, o novato é encorajado a dar-lhe pancadas aparentemente inofensivas; e o bebê é morto pelas feridas não vistas e ocultas. Sedentos – oh! que horror! – eles lambem o seu sangue, competem na divisão de seus membros, se unem em torno de sua vítima, se comprometem ao silêncio mútuo em relação à cumplicidade no crime. Estes ritos são mais abomináveis do que qualquer sacrilégio.[3]

Em face do número de cristãos apologistas no século II que responderam a esta acusação de canibalismo, parece não haver dúvida de que esta

---

2 Jakob Engberg, *Impulsore Chresto: Opposition to Christianity in the Roman Empire c. 50-250 AD*, trad. Gregory Carter, Early Christian in the Context of Antiquity 2 (Frankfurt am Main: Peter Lang GmbH), 188. Quanto a uma opinião semelhante, ver Albert Henrichs, "Pagan and the Alleged Crimes of the Early Christians: A Reconsideration", em *Kyriakon: Festschrift Johannes Quasten*, ed. Patrício Grandfield e Josef A. Jungmann, 2 vols. (Münster: Verlag Aschendorff, 1970), 1:19-20. Quanto a uma leitura diferente deste texto, ver Lautauro Roig Lanzillotta, "The Early Christians and Human Sacrifice", em *The Strange World of Human Sacrifice*, ed. Jan N. Bremmer (Leuven: Peeters, 2007), 84-85.

3 *Octavius* 9.5, em *Jews and Christians: Graeco-Roman Views*, trad. Molly Whittaker (Cambridge: Cambridge University Press, 1984), 174. Quanto à refutação de Minucius sobre esta acusação, ver *Octavius* 30.1-2. Minucius Felix é notoriamente difícil de ser datado. Quanto ao argumento que coloca sua escrita de *Octavius* durante a sétima dinastia, G. W. Clarke, "The Historical Setting of the *Octavius* of Minucius Felix", The Journal of Religious History 4 (1966-67): 265-86. Peter James Cousins argumenta em favor de uma data depois de 260, "Great Lives in Troubled Times: The Date and Setting of the *Octavius* by Minicius Felix", *Voz Evangelica* 27 (1997): 45-46.

acusação sobre os cristãos era bem difundida.⁴ Evidentemente, ela é um entendimento errôneo e deturpado da ordem do Senhor de "comer o seu corpo" e "beber o seu sangue", como mera zombaria. Mas, se os primeiros cristãos não estavam envolvidos em tais atos reprováveis, o que realmente acontecia em suas assembleias quando tomavam a Ceia do Senhor? O que eles experimentavam quando participavam da Ceia do Senhor? Estas perguntas são vitais, porque, no decurso da era patrística, não há dúvida de que a celebração da Ceia do Senhor ou, como ela era mais comumente chamada nessa era, a eucaristia se tornou um aspecto central da adoração na igreja.⁵

Neste capítulo, examinamos o pensamento eucarístico de dois homens da tradição patrística latina, Cipriano de Cartago e Ambrósio de Milão, ambos os quais cumpriram um papel importante na explicação do significado da Ceia do Senhor e no desenvolvimento da piedade eucarística.

CIPRIANO DE CARTAGO

Sabe-se muito pouco sobre a vida de Cipriano antes de sua conversão. Seu mais antigo biógrafo, um certo Pôncio, começou sua biografia na conversão de Cipriano, pois ele julgava que os atos e o caráter de um homem de Deus não deviam ser discutidos a partir de nenhum outro momento, senão a partir do momento em que ele foi convertido.⁶ O que sabemos é que Cipriano, vindo dos círculos da alta sociedade romana no Norte da África, era acostumado com a vida em circunstâncias tranquilas e, nas palavras do erudito em

---

4 Ver, por exemplo, Justino Mártir, *Primeira Apologia* 26; Justino Mártir, *Segunda Apologia* 12; Atenágoras, *Petição em Favor dos Cristãos* 3.35; Teófilo de Antioquia, *A Autólico* 3.4; Tertuliano, *Apologia* 7.1; Eusébio, *História Eclesiástica* 5.1. Ver as excelentes e estimulantes discussões deste assunto em Hendrichs, "Pagan Ritual and the Alleged Crimes of the Early Christians", 18-35, e Andrew McGowan, "Eating People: Accusations of Cannibalism against Christians in the Second Century", *Journal of Early Christian Studies* 2 (1994): 413-42.

5 Daniel Sheerin, "Eucharistic Liturgy", in *The Oxford Handbook of Early Christian Studies*, ed. Susan Ashbrook Harvey e David G. Hunter (Oxford: Oxford University Press, 2008), 723.

6 *Life of Cyprian* 2. Quanto à vida e ao pensamento de Cipriano, ver, especialmente, Peter Hinchliff, *Cyprian of Carthage and the Unity of the Christian Church* (London: Geoffrey Chapman, 1974); Michael M. Sage, *Cyprian*, Patristic Monograph Series 1 (Philadelphia: Philadelphia Patristic Foundation, 1975); J. Patout Burns, *Cyprian the Bishop* (London: Routledge, 2002); e Burns, "Cyprian of Carthage", *The Expository Times* 120 (2009): 469-77.

patrística Maurice Wiles, "era um homem de riqueza, que tinha uma fortuna pessoal considerável".[7] Ele renunciou a maior parte de sua riqueza na época de sua conversão. Cipriano havia adquirido fama e reputação como retor, ou seja, alguém que treinava oradores aspirantes e ensinava a arte e ciência do discurso público. Não há nenhuma indicação de que ele casou.

Por volta dos anos 240, Cipriano se tornou cada vez mais desiludido com seu mundo, e os prazeres e privilégios que ele possuía chegaram a ter pouco apelo para ele.[8] Cipriano foi atraído à fé cristã por meio de sua amizade com um certo Ceciliano, um presbítero idoso da comunidade cristã em Cartago. Por que ele decidiu se tornar não cristão? Um autor sugeriu que ele estava desgostoso com o mundo em que vivia.[9] Sem dúvida, há evidência em uma carta que ele escreveu logo depois de sua conversão,[10] mas esta mesma carta indica que houve um importante elemento pessoal que o levou a tornar-se cristão. Quando ele ouviu o evangelho, ficou convencido de seus pecados, entre os quais ele notou orgulho, ira, avareza e lascívia.[11] Tentou reformar sua vida, mas isso foi inútil. Pensando que nunca seria capaz de livrar-se desses pecados, ele desesperou de viver uma vida de virtude e voltou aos seus velhos caminhos.[12] Mas, então (e ele não nos conta os detalhes), ele foi convertido repentinamente, e, em suas palavras, "imediatamente, de maneira maravilhosa, questões duvidosas se esclareçam para mim, o que estava fechado se abriu, o que era obscuro brilhou com luz, o que parecia impossível pôde ser realizado".[13] Olhando para trás, ao seu tempo de transformação, Cipriano ficou ciente de que fora o Espírito Santo que o trouxera à fé e ao novo nascimento: "Nosso poder é de Deus, eu digo, todo ele é de Deus. Dele temos a vida".[14]

---

7 "The Theological Legacy of St. Cyprian", em sua obra *Working Papers in Doctrine* (London: SCM, 1976), 68.
8 Ver Cyprian, *Letter to Donatus* 3-4.
9 Ver Hinchliff, *Cyprian of Carthage*, 26.
10 *Letter to Donatus* 6-14.
11 *Letter to Donatus* 6-14.
12 *Letter to Donatus* 4.
13 *Letter to Donatus* 4, em *Saint Cyprian: Treatises*, trad. Roy J. Deferrari (New York: Fathers of the Church, 1958), 10.
14 *Letter to Donatus* 4, em Deferrari, *Saint Cyprian: Treatises*, 10. Embora breve e compacto, o relato de Cipriano sobr a sua conversão tem algumas das mesmas ênfases que achamos na mais famosa narrativa de conversão da igreja antiga, ou seja, a de Agostinho.

Assim, Cipriano se tornou um catecúmeno, um aprendiz na fé cristã. Muitos catecúmenos na igreja de Cipriano vinham das classes mais pobres. Como um membro de classe alta, Cipriano se exaltaria. Entretanto, de todos os vários grupos e subculturas existentes no império, a igreja era quase a única que tinha seus membros procedentes de todo o espectro econômico e social e se empenhava por integrá-los em uma comunidade genuína.[15]

Dentro de dois anos de sua conversão e batismo, em 245/246, Cipriano foi designado bispo de Cartago, e isso o tornou o principal bispo na África de fala latina e voz influente no desenvolvimento do cristianismo no Norte da África.[16] Apesar da oposição da parte dos presbíteros mais velhos, em Cartago, por causa de seu rapidíssimo avanço ao episcopado e pelo fato de que ele parecia mais um senhor romano secular dispensando favores aos seus servos, Cipriano demonstrou ser, nas perseguições que abrangeram todo o império no final dos anos 240 e nos anos 250, um líder cristão sábio e equilibrado. Ele foi martirizado durante o reinado do imperador Valeriano, por se recusar a cumprir os sacrifícios rituais aos deuses romanos.[17]

"TEU CÁLICE É INTOXICANTE", CIPRIANO SOBRE A CEIA

O "primeiro tratado autêntico sobre a Ceia" da era anterior a Constantino é a maneira como a *Carta 63* de Cipriano foi descrita.[18] Foi escrita a Cecílio, bispo de Bilta,[19] talvez no outono de 253,[20] para lidar com uma ceia

---

15 Hinchliff, *Cyprian of Carthage*, 26.
16 Burns, "Cyprian of Carthage", 469.
17 Ver *The Acts of St. Cyprian*, in *The Acts of the Christian Martyrs*, ed. Herbert Musurillo (Oxford: Clarendon, 1972), 168-75.
18 A. Hamman, "Eucharist. I. In the Fathers", in *Encyclopedia of the Early Church*, ed. Angelo Di Berardino, trad. Adrian Walford (New York: Oxford University Press, 1992), 1:293; Daniel J. Sheerin, *The Eucharist*, Message of the Fathers of the Church 7 (Wilmington, DE: Michael Glazier, 1986), 256.
19 Quanto aos poucos detalhes conhecidos a respeito de Cecílio, ver Edward White Benson, "Caecilius (6) Bishop of Biltha", em *A Dictionary of Christian Biography*, ed. William Smith e Henry Wace (Boston: Little, Brown and Co., 1877), 1:369, col. 2.
20 Quanto à data da carta, ver Sage, *Cyprian*, 291, 366; e Sheerin, *Eucharist*, 256.

aquariana, ou seja, o uso somente de água em lugar de uma mistura de vinho e água na Ceia do Senhor.[21] Cipriano começa com o princípio básico de que os cristãos não têm a liberdade de mudar "o que o Senhor Jesus Cristo fez e ensinou", a menos que queiram ofender seu Senhor.[22] No que diz respeito ao cálice da ceia, isto significa especificamente que "o cálice que é oferecido em memória dele deve ser oferecido misturado com vinho. Pois, uma vez que Cristo pronunciou: 'Eu sou a videira verdadeira', o sangue de Cristo não é água".[23] O uso de vinho por parte de Cristo, na última ceia, como uma ilustração de seu sangue instrui a igreja quanto ao fato de que "o cálice deve ser uma mistura de água e vinho".[24] E isto é o que foi transmitido pelos apóstolos. Usar somente água significa, portanto, agir contra a ordem do Senhor, "a prática evangélica e apostólica".[25] O bispo cartaginês acha apoio para seu argumento em vários exemplos do Antigo Testamento que ele considera tipos[26] da paixão de Cristo e de sua representação no pão e no vinho: a embriaguez de Noé,[27] a oferta de pão e vinho por Melquisedeque, a mulher Sabedoria em Provérbios 9, a

---

21 Quanto a este assunto, ver Alvah Hovey, "Patristic Testimonies as to Wine, Especially as Used in the Lord's Supper", *The Baptist Quarterly Review* 10 (1888): 78-93; G. W. Clarke, *The Letters of St. Cyprian of Carthage*, Ancient Christian Writers 46 (New York: Newman, 1986), 3:288-90; Andrew McGowan, *Ascetic Eucharists: Food and Drink in Early Christian Ritual Meals* (Oxford: Clarendon, 1999), passim e, especialmente, 204-11; Margaret M. Daly-Denton, "Water in the Eucharist Cup: A Feature of the Eucharist in Johannine Trajectories through Early Christianity", *Irish Theological Quarterly* 72 (2007): 356-70.

22 *Letter* 63.1, em *St. Cyprian of Carthage: On the Church: Select Letters*, trad. Allen Brant (Crestwood, NY: St. Vladimir's Seminary Press, 2006), 176. Daqui para frente, esta tradução de será citada como Brent, *St. Cyprian*.

23 *Letter* 63.2, em Brent, *St. Cyprian*, 173, alterado. A citação é de João 15.1. Ver, também, *Letter* 63.10, 14, 16, 18. Em *Letter* 63.18 Cipriano cita Mateus 28.18-20 para apoiar seu apelo à autoridade do Senhor e, por implicação, inclui o uso de água e vinho na Ceia do Senhor como uma das coisas que Cristo ordenou seus apóstolos ensinassem aos discípulos.

24 *Letter* 63.9, em Brent, *St. Cyprian*, 179.

25 *Letter* 63.11, em Brent, *St. Cyprian*, 180.

26 Cipriano usa o termo *sacramentum*, ou seja, "penhor" ou "sinal" para descrever estes exemplos.

27 Este é um tipo muito curioso, que levou Edward White Benson a falar sobre a "extravagância... das interpretações bíblicas e da perda da lógica" na carta de Cipriano. Ver sua obra *Cyprian: His Life, His Times, His Work* (London: Macmillan, 1897), 291. Mas, apesar disso, o fluxo de pensamento geral da tipologia exegética de Cipriano, neste caso, é comum aos pais, ou seja, "situar o próprio Cristo dentro das narrativas sagradas do passado no sentido de que ele tanto participa de quanto cumpre aquelas narrativas" (John J. O'Keefe e R. R. Reno, *Sanctified Vision: An Introduction to Early Christian Interpretation of the Bible* [Baltimore: John Hopkins University Press, 2005], 73). Assim como muitos exegetas práticos, Cipriano era ávido por descobrir o que uma passagem bíblica significava para ele e para a comunidade de crentes de seus dias.

bênção de Judá e a predição de Isaías sobre o Messias, em Isaías 63.[28] Cipriano nota que é o rito iniciatório de batismo que é "somente em água".[29] A ceia tem de usar tanto água como vinho, pois o seu propósito é recordar o derramamento do sangue de Cristo.

Cipriano também apoia seu argumento com uma frase de Salmos 23.5, conforme ela aparece na versão latina dos salmos. Na versão deste salmo conhecida por Cipriano, havia a afirmação "Teu cálice, embora o mais excelente, é intoxicante" (*calix tuus inebrians perquam optimus*), que o bispo interpreta como uma referência à Ceia do Senhor.[30] Como observa Cipriano, a água sozinha nunca causa inebriação. Para ocorrer a embriaguez, tem de haver o vinho. É claro que participar do cálice na Ceia produz uma insobriedade totalmente diferente daquela produzida pelo vinho deste mundo. A insobriedade da ceia torna homens e mulheres "sóbrios no sentido de que ela restaura corações à sabedoria espiritual, no sentido de que cada pessoa retorna ao seus sensos no que concerne ao entendimento de Deus, depois de provar a experiência desta era".[31] O que é fascinante nesta interpretação é que ela nos provê um ponto de vantagem para refletirmos sobre as riquezas da experiência de Cipriano na participação da Ceia do Senhor.

Para o teólogo norte-africano, a Ceia do Senhor é um lugar de sabedoria espiritual, porque ajuda a chamar homens e mulheres a negarem sua tentação de serem enfatuados com o mundo. Como Cipriano prossegue e comenta, "beber o sangue do Senhor e seu cálice salvador" é um meio de esquecer o padrão de viver deste mundo. E, assim como o "vinho comum" tem inicialmente um efeito relaxante e uma maneira de banir a tristeza, também acontece que a Ceia do Senhor, realizada como o Senhor direcionou – o que, neste contexto, significa vinho misturado com água – alivia o crente daqueles "pecados chocantes" que

---

28 Letter 63.3-7. Quanto a uma discussão dos vários aspectos da exegese tipológica de Cipriano, ver Clarke, *Letters of St. Cyprian*, 3:292-94. Quanto a uma lista de outros tipos da Ceia do Senhor achados pelos pais no Antigo Testamento, ver Sheerin, Eucharistic Liturgy", 723.

29 Letter 63.8, em Brent, *St. Cyprian*, 177.

30 Letter 63.11, em Brent, *St. Cyprian*, 180. Quanto ao latim, ver J.-P. Migne, ed., Patrologiae cursus completus... Series prima [latina] (Paris, 1844), 4:382b, daqui para frente, Patrologia latina.

31 Letter 63.11, em Brent, *St. Cyprian*, 180. O tema de *sobria ebrietas* era um tema favorito dos pais. Ver, em seguida, o seu desenvolvimento por Ambrósio.

o dominavam. A ceia é, portanto, um lugar onde o crente conhece de novo o perdão do Senhor e, como resultado, é infundido de alegria.[32] Em relação a isto, Cipriano pôde, noutra carta, encorajar os cristãos como "soldados de Cristo" a beberem "o cálice do sangue de Cristo", para que sejam capacitados a renunciar o mundo, até ao ponto de derramar seu sangue por Cristo.[33]

A ceia também fala da união do povo com o seu Senhor. Cipriano sugere que a água no cálice representa o povo de Deus, enquanto o vinho, é claro, é indicativo do sangue derramado do Salvador. Quando a água é misturada com o vinho, no cálice, isso retrata a união indissolúvel de amor que os cristãos têm uns com os outros e com seu Senhor. Devido ao que o cálice representa, é impróprio usar somente água ou somente vinho. De modo semelhante, o pão que é partido consiste de "trigo colhido, moído e amassado" com água para formar um pão. Para Cipriano, a ceia é um poderoso testemunho experiencial do "vínculo jurado" (*sacramentum*) que une os crentes como um corpo em Cristo.[34] Isto era especialmente importante para Cipriano, enquanto ele procurava lidar com aqueles que haviam apostado na perseguição de Décio (240-251) e que, depois, arrependeram-se sinceramente.[35] Como observa J. Patout Burnes, para Cipriano, a "união da comunidade em Cristo se tornou a principal função da Ceia".[36]

Esta carta é também digna de comentário porque contém, na opinião do incisivo teólogo congregacionalista P. T. Forsyth (1848-1921), "uma mudança totalmente antibíblica". Depois de ligar a afirmação bíblica sobre a oferta de Cristo, o sumo sacerdote de Deus, "como um sacrifício ao Pai" com o seu mandamento aos discípulos de celebrarem a Ceia em sua memória, Cipriano conclui que Jesus está pedindo aos discípulos que façam exatamente como ele o fez. Isto significa que aquele

---

32 *Letter* 63.11, em Brent, *St. Cyprian*, 181.

33 *Letter* 58.1-2. Devo esta referência a Andrew McGowan, "Rethinking Agape and Eucharist in Early North African Christianity", *Studia Liturgica* 34 (2004): 175. Quanto a esta passagem, ver também John D. Laurence, *"Priest" as Type of Christ: The Leader of the Eucharist in Salvation History according to Cyprian of Carthage*, American University Studies 7, vol. 5 (New York: Peter Lang, 1984), 185-88.

34 *Letter* 63.13, em Brent, *St. Cyprian*, 181-82.

35 Quanto a uma descrição proveitosa desta perseguição e seu impacto nas igrejas no Norte da África e Roma, ver Brent, "Introduction", em *St. Cyprian*, 17-38.

36 Burns, "Cyprian of Carthage", 474. Ver também Alan Kreider, "Worship and Evangelism in Pre-Christendom (The Laing Lecture 1994)", Vox Evangelica 24 (1994): 23: "A Ceia era um rito de união..."

que preside a Ceia "imita aquilo que Cristo fez" quando ele "oferece a Deus, o Pai, um verdadeiro e pleno sacrifício na igreja de Deus".[37] Em fazer esta mudança exegética, Cipriano se torna, de acordo com Forsyth, "o principal culpado de efetuar a mudança de um *sacrificium laudis* [um sacrifício de louvor], pela igreja, para um *sacrificium propitiatorium* [um sacrifício propiciatório], pelo sacerdote".[38] Se Forsyth está certo ou não em designar Cipriano de "principal culpado" neste respeito, isso é discutível.[39] Antes, autores como Justino Mártir e Irineu de Lion também haviam usado o termo "sacrifício" em relação à Ceia, baseados em sua exegese de Malaquias 1.11.[40] Todavia, enquanto eles viam o povo de Deus oferecendo coletivamente o sacrifício da Ceia, em pureza de coração, Cipriano identifica o bispo ou ministro como aquele que é o único chamado a fazer isso e que, neste aspecto do seu ministério, imita o sacrifício sumo sacerdotal do próprio Cristo.[41] Fundamental a esta mudança é o uso que Cipriano faz do termo "sacerdote" (*sacerdos*) como uma descrição daquele que preside a Ceia. Antes de Cipriano, este termo nunca era empregado para designar o ministério cristão, mas Cipriano, como na carta que consideramos, chama constantemente aquele que preside a Ceia, bispo ou presbítero, de *sacerdos*.[42] E, assim como há tipos da paixão de Cristo na história do povo de Deus anterior à encarnação, assim também, como Cipriano descreve nesta carta, na história da igreja desde a morte e a ressurreição de Cristo há sacerdotes que imitam o sacerdócio de Cristo e que são instrumentos de sua presença na adoração da igreja.[43]

Cipriano representa bem certas mudanças no pensamento e prática relacionados à Ceia que acontecem durante o século III. Para ele, a Ceia é uma garantia da unidade do corpo de Cristo, enquanto combate a divisão no meio de uma perseguição que abrange todo o império. Ele também afirma a

---

37 *Letter* 63.14, em Brent, *St. Cyprian*, 183-84.

38 *The Church and the Sacraments*, 4th ed. (London: Independent, 1953), 272. Ver também E. Glenn Hinson, "The Lord's Supper in Early Church History", *Review and Expositor* 64 (1969): 18-19.

39 Quanto a afirmações semelhantes feitas por Tertuliano e Orígenes, ver Alasdair I. C. Heron, *Table and Tradition* (Philadelphia: Westminster Press, 1983), 75-76.

40 Ver Justino Mártir, *Dialogo com Trifo* 41: Irineu de Lion, *Contra Heresias* 4.17.4-4.18.3.

41 Heron, *Table and Tradition*, 76.

42 Laurence, *"Priest" as Type of Christ*, 195-200.

43 Ibid., 223-30.

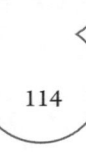

centralidade da Ceia para a piedade cristã experiencial, por usar a figura de "intoxicação sóbria" como uma maneira sucinta de descrever a experiência de comer o pão e beber o vinho. Em uma mudança distinta das perspectivas anteriores, Cipriano emprega o termo "sacerdote" (*sacerdos*) para descrever aquele que preside a Ceia; e isso se tornará a base posteriores interpretações da Ceia do Senhor numa perspectiva fortemente sacerdotal.

AMBRÓSIO DE MILÃO

A aceitação do cristianismo pelo imperador romano, Flávio Valério Constantino, conhecido também como Constantino I, na segunda década do século IV, causou efeitos tão abrangentes que, pelo tempo da sua morte, dificilmente havia alguma faceta da vida pública do império ou da igreja que não tivesse sido impactada por sua política de cristianização oficial. Constantino via, genuinamente, a si mesmo como um amigo e aliado da igreja que foi usado por Deus para acabar com a perseguição ao povo de Deus.[44] Contudo, o impacto de seu longo reinado sobre o cristianismo não foi sempre o melhor. Por exemplo, logo depois de sua morte, o seu filho, o imperador ariano Constantino II (317-361) perseguiu apoiadores do Credo Niceno, como Atanásio, e assim estabeleceu um precedente para o subsequente envolvimento extensivo do estado na vida da igreja.

Entre os principais defensores da ortodoxia nicena contra a perseguição instigada por arianos, estava Ambrósio, um aristocrata como Cipriano e um governador de província antes de ser designado bispo de Milão em 374.[45] Com pouca educação teológica e nem mesmo batizado, Ambrósio foi chamado pela congregação em Milão para ser o seu bispo depois da morte de seu antecessor ariano, Auxêncio. Acostumado ao uso de poder, Ambrósio não achou fácil ajustar-se a este novo papel, e suas relações com pessoas como a imperatriz ariana, Justina (morreu em 388), ou com

---

44 Quanto a um argumento convincente neste respeito, ver Timothy D. Barnes, *Constantine and Eusebius* (Cambridge, MA: Harvard University Press, 1981).

45 Sobre a vida e o pensamento de Ambrósio, ver Daniel H. Williams, *Ambrose of Milan and the End of the Nicene-Arian Conflicts* (Oxford: Clarendon; New York: Oxford University Press, 1995); e Ivor Davidson, "Ambrose" em *The Early Christian World*, ed. Philip F. Esler (London: Routledge, 1997). O estudo clássico é F. Holmes Dudden, *The Life and Times of St. Ambrose*, 2 vols. (Oxford: Clarendon, 1935).

o decididamente ortodoxo Teodósio I (347-395), que fez do trinitarianismo niceno a religião oficial do Império Romano, ilustram os perigos enfrentados por líderes eclesiásticos influentes em uma sociedade então comprometida com a fé cristã.[46] Ambrósio encorajou fortemente os cristãos novos a abraçarem uma vida de virgindade e escreveu seu primeiro tratado teológico sobre este assunto. Sua pregação era influenciada profundamente pela exegese alegórica de Orígenes, que consideramos no capítulo anterior. Na verdade, foi o seu uso da alegorização que encorajou Agostinho a prestar atenção a sua exposição do cristianismo e, assim, contribuiu para a conversão de Agostinho.[47] Agostinho também faz menção do fato de que Ambrósio introduziu o canto de hinos congregacionais na igreja de Milão.[48] O próprio Ambrósio escreveu vários hinos que ajudaram a lançar o alicerce para a hinologia latina. Embora ele não fosse um grande teólogo, seu profundo conhecimento de grego lhe deu acesso às riquezas da tradição patrística grega, que ele legou ao Ocidente por meio de suas várias obras. Ivor Davidson observa acertadamente que o papel de Ambrósio na formação do cristianismo latino foi "notável e complexa".[49] Isto é verdade no que diz respeito ao pensamento e a piedade concernentes à Ceia, nos quais Ambrósio foi um pioneiro de novas maneiras de pensar sobre a Ceia do Senhor.[50]

SENDO BEIJADO POR CRISTO: A PIEDADE EUCARÍSTICA DE AMBRÓSIO

O âmago do pensamento e a reflexão de Ambrósio referente à Ceia se acha em sua obras *Sobre os Sacramentos* e *Sobre os Mistérios*. À semelhan-

---

46 Como Ramsey observa, "Ambrósio era, acima de tudo, um homem do espírito, cujas atividades no fórum público eram guiadas mormente por considerações espirituais, embora fossem às vezes mal concebidas. É impossível... não atribuir uma profunda espiritualidade a um homem em cujos escritos o significado místico de Cântico dos Cânticos cumpre um papel tão proeminente e que era capaz de compor hinos extraordinários" (*Ambrose*, x).

47 Ver Agostinho, *Confissões* 6.3-4.

48 *Confissões* 9.7.

49 Davidson, "Ambrose", 1175.

50 Raymond Johanny, *L'Eucharistie, centre de l'histoire du salut chez saint Ambroise de Milan* (Paris: Beauchesne, 1968); Davidson, "Ambrose", 1197; Gary Macy, *The Theologies of the Eucharist in the Early Scholastic Period: A Study of the Salvific Function of the Sacrament according to Theologians c. 1080- c. 1220* (Oxford: Clarendon, 1984), 19.

ça de Cipriano, Ambrósio via prefigurações da Ceia no Antigo Testamento, como o relato de Gênesis sobre a oferta de Melquisedeque de pão e vinho a Abraão.[51] Outra vez, como Cipriano e outros autores precedentes, Ambrósio usou linguagem realística sobre o pão e o vinho: quando consumidos na Ceia do Senhor, eles são o corpo e o sangue de Cristo.[52] Ele foi além dos autores precedentes, por identificar as palavras de Cristo na instituição da Ceia como os meios pelos quais uma mudança é realizada nos elementos de pão e vinho.

> Antes de [o pão] ser consagrado, ele é pão; mas, quando as palavras de Cristo são acrescentadas, ele é o corpo de Cristo. Finalmente, ouçam-no dizer: "Tomai, comei, todos vós; isto é o meu corpo" [cf. Mt 26.26-27]. E, antes das palavras do Senhor, o cálice está cheio de água e vinho; quando as palavras de Cristo são acrescentadas, o sangue é efetuado [efficitur], que redimiu o povo. Portanto, vejam em que grandes respeitos a expressão de Cristo é capaz de mudar [convertere] todas as coisas.[53]

Os teólogos do século IV eram, geralmente, mais explícitos do que os autores antecedentes em elaborar os detalhes da mudança que acontecia com o pão e o vinho na celebração da Ceia do Senhor.[54] Para um autor de fala grega como Cirilo de Jerusalém, era a oração pela descida do Espírito sobre os elementos que operava a mudança neles.[55] O Oeste, por outro lado, seguiria Ambrósio em localizar nas palavras de Cristo o poder de efetuar a mudan-

---

51 *On the Sacraments* 4.3.10-12; 5.1.1; *On the Mysteries* 8.45-46.

52 *On the Sacraments* 4.4.14, 19-20.

53 *On the Sacraments* 4.5.23, em *Saint Ambrose: Theological and Dogmatic Works*, trad. Roy J. Deferrari, The Fathers of the Church 44 (Washington, DC; The Catholic University of America Press, 1963), 305. Ver, também, Ambrose, *On the Sacraments* 4.4.14, 19; *On the Mysteries* 52.

54 R. J. Halliburton, "The Patristic Theology of the Eucharist", in *The Study of Liturgy*, ed. Cheslyn Jones, Geoffrey Wainwright e Edward Yarnold (London: SPCK, 1978), 207; Everett Ferguson, "The Lord's Supper in Church History: The Early Church Through the Medieval Period", em *The Lord's Supper: Believers Church Perspective*, ed. Dale R. Stoffer (Scottdale, PA; Waterloo, ON: Herald, 1007), 28.

55 Ver, por exemplo, Cirilo de Jerusalém, *On the Mysteries* 5.7. Quanto a uma discussão sobre este texto, ver Heron, *Table and Tradition*, 66; Ferguson, "Lord's Supper in Church History", 28-29.

ça nos elementos.⁵⁶ Para aqueles que julgavam esta ideia difícil de acreditar, Ambrósio apresentava toda uma gama de exemplos bíblicos, desde a vara de Moisés, que foi transformada numa serpente e, depois, voltou a ser uma vara, ao machado de ferro que Elias tornou capaz de flutuar.⁵⁷ Ambrósio foi capaz de evitar uma interpretação materialista crassa das mudanças que aconteciam nos elementos, por enfatizar que

> Cristo está nesse sacramento, porque é o corpo de Cristo; portanto, não é comida física, mas espiritual. Por isso, o apóstolo também disse, sobre um tipo da ceia, que "comeram de um manjar espiritual e beberam da mesma fonte espiritual" [1 Co 10.3-4]. Pois o corpo de Deus é um corpo espiritual; o corpo de Cristo é o corpo de um Espírito divino, porque Cristo é Espírito [cf. 1 Co 15.45; 2 Co 3.17].⁵⁸

No entanto, ele podia ainda dizer que no mistério da Ceia do Senhor os crentes adoram a carne de Cristo, o que pode levar à confusão entre o pão e o vinho e aquilo que eles significavam.⁵⁹

Ambrósio foi também um pioneiro em outra área importante relacionada à Ceia, a saber, o uso de Cântico dos Cânticos para expressar a experiência do crente à mesa do Senhor.⁶⁰ É Cristo, comentou Ambrósio, que com estas palavras "Beija-me com os beijos de tua boca" (Ct 1.2) chama o crente, purificado do pecado, a vir ao seu "maravilhoso sacramento". E Ambrósio interpretou estas palavras com este significado: "Que Cristo dê um

---

56 Heron, *Table and Tradition*, 66-67.
57 *On the Sacraments* 4.4.11; *On the Mysteries* 51-52.
58 *On the Mysteries* 51-52, em *Saint Ambrose, on the Sacraments and On the Mysteries*, trad. T. Thompson, ed. J. H. Srawley (London: S.P.C.K., 1950), 150. Ver também os comentários de C. W, Dugmore, "Sacrament and Sacrifice in the Early Fathers", *The Journal of Ecclesiastical History* 2 (1951): 35-36; G. W. H. Lampe, "The Eucharist in the Thought of the Early Church", em Lampe et al., Eucharistic Theology Then and Now (London: S.P.C.K., 1968), 52-53.
59 *On the Holy Spirit* 3.79.
60 Hamman, "Eucharist. I. in the Fathers", 1:293. O uso de Cântico dos Cânticos como uma expressão da piedade eucarística veio à plena fruição muito mais tarde, nos escritos de autores medievais como Bernard de Clairvaux (1090-1153) e de pastores puritanos como Edward Taylor (1642-1729).

beijo em mim".⁶¹ A recepção da Ceia do Senhor é neste caso ligada à jubilosa experiência de ser beijado pelo amado do cristão. Depois, Ambrósio ligou esta comunhão de amor que Cristo tem com seu povo, por meio da Ceia, ao amado vindo ao seu jardim e bebendo seu vinho com leite (Ct 5.1). Ambrósio afirmou que isto não é nada mais do que Cristo dando ao seu povo o perdão dos pecados por meio da ceia e o subsequente regozijo e inebriação deles no Espírito.⁶² Ser tão inebriado com o Espírito, Ambrósio continuou, significa ser "arraigado profundamente em Cristo, e, como tal, é um estado que Ambrósio só podia descrever como "inebriação gloriosa" (*praeclara ebrietas*).⁶³

Juntamente com mudanças importantes que aconteceram na vida da igreja e em seu culto, no século IV, em face da tolerância do cristianismo, surgiu um movimento em direção à especificação mais exata de como o pão e o vinho serviam como o corpo e o sangue de Cristo. No Oriente, Cirilo de Jerusalém parece ter sido o primeiro a especificar os detalhes desta conversão, embora a maior influência neste respeito tenha vindo de Gregório de Nissa, o irmão de Basílio de Cesareia, a quem consideraremos no próximo capítulo. No Ocidente, Ambrósio foi o principal veículo desta linha de pensamento. A ênfase de Ambrósio na transformação do pão e do vinho no corpo e no sangue de Cristo tornaria, cada vez mais, a Ceia do Senhor não tanto uma celebração da comunidade, como o era para os primeiros cristãos, mas um lugar de adoração, de temor reverente e, receio, algo a ser feito errado.⁶⁴ O pensamento de Ambrósio levaria, também, inexoravelmente, à confusão de símbolo e de significado. Todavia, o seu uso de Cântico dos Cânticos moderou ambos os desenvolvimentos, pois, por meio disso, os cristãos foram lembrados de que a Ceia devia ser, em última análise, um lugar de alegria espiritual exuberante por causa dos pecados perdoados e da união com Cristo.

---

61 *On the Sacraments* 5.2.5-7.
62 *On the Sacraments* 5.3.15-17 (Patrologia latina 16.449a-c).
63 *On the Sacraments* 5.3.17 (Patrologia latina 16.449c-450a).
64 Macy, *Theologies of the Eucharist*, 19-20; Lampe, "Eucharist in the Thought of the Early Church", 52.

CAPÍTULO 6

SENDO SANTO
E RENUNCIANDO
O MUNDO

A Experiência de Basílio de Cesareia

*A vida eterna aos que, perseverando em fazer o bem,
procuram glória, honra e incorruptibilidade.*
ROMANOS 2.7

Sabemos mais a respeito de Basílio de Cesareia do que a respeito de qualquer outro cristão da igreja antiga, exceto Agostinho de Hipona. Essencial ao nosso conhecimento da vida de Basílio é a maravilhosa coleção de 311 cartas,[1] bem como dois panegíricos procedentes de homens que

---

1 Porções deste capítulo apareceram em forma impressa como "Defending the Holy Spirit's Deity: Basil of Caesarea, Greogory of Nyssa, and the Pneumatomachian Controversy of the 4th Century", *The Southern Baptist Journal of Theology* 7, n. 3 (Fall 2003): 74-79; e "Strive for Glory with God: Some Reflections by Basil of Caesarea on Humility", *The Gospel Witness* 82 (September 2003): 3-6. Ambos usados com permissão.
Anthony Meredith, *The Cappadocians* (Crestwood, NY: St. Vladimir's Seminary Press, 1995), 20. Há 368 cartas atribuídas a Basílio, das quais sabemos que umas 57 não foram escritas por ele. Ver P. J. Fedwick, "New Editions and Studies of the Works of Basil of Caesarea", em *Paideia Cristiana: Studi in onore di Mario Naldini* (Rome: Gruppo Editoriale Internationale, 1994), 616-617. Quanto a uma cornologia da vida e de todas as obras de Basílio, ver Paul Jonathan Fedwick, *The Church and the Charisma of Leadership in Basil of Caesarea* (Toronto: Pontifical Institute of Medieval Studies, 1979), 133-55. Quanto a uma bibliografia completa das obras de Basílio, ver Fedwick, *Bibliotheca Basiliana Universalis: A Study of the Manuscript Tradition, Translations and Editions of the Works of Basil of Caesarea*, vol. 5, *Studies of Basil of Caesarea and his World: An Annotated Bio-Bibliography* (Turnhout: Brepols, 2004).

eram muito próximos de Basílio, seu amigo Gregório de Nazianzo e Gregório de Nissa, o irmão mais novo de Basílio.

PRIMEIROS ANOS E CONVERSÃO

Basílio nasceu em Cesareia, na época a capital da Capadócia (hoje, Turquia Central), por volta do ano 330.[2] As famílias tanto de seu pai como de sua mãe, Basílio e Emília, haviam sofrido por causa da fé cristã durante a perseguição desencadeada por Diocleciano. O avô materno de Basílio fora martirizado, enquanto seus avós paternos passaram sete anos se escondendo nas florestas do Ponto, durante a mais cruel das perseguições imperiais.[3] Como Philip Rousseau observa, o mundo de Basílio era cheio de homens e mulheres que eram "filhos de confessores e de filhos de mártires".[4] As propriedades de ambas as famílias tinham sido confiscadas pelo estado, mas no tempo do nascimento de Basílio sua família era próspera e possuía algumas propriedades na Capadócia e no Ponto.

A primeira educação de Basílio veio de seu pai. Com a morte de seu pai em 340, Basílio foi estudar em Cesareia, onde conheceu e estabeleceu uma amizade vitalícia com Gregório de Nazianzo. Os estudos posteriores se deram em Constantinopla e, depois, em Atenas nos anos 350, onde ele e Gregório de Nazianzo estudaram retórica juntos. Muitas anos depois, Gregório lembrou afetuosamente a vida que tinham juntos como estudantes.

> Em estudos, nos aposentos, em discussões, eu tinha a companhia dele... Tínhamos todas as coisas em comum... Mas, acima de tudo, estava Deus, é claro, e um desejo mútuo por coisas mais elevadas, que nos atraía um ao outro. Como resultado, alcançamos um tal ní-

---

2 Quanto a um excelente estudo sobre Basílio, ver especialmente Fedwick, *The Church and the Charisma of Leadership in Basil of Caesarea*. Ver também o resumo biográfico em Stephen M. Hildebrand, *The Trinitarian Theology of Basil of Caesarea: A Synthesis of Greek Thought and Biblical Truth* (Washington, DC: The Catholic University of America Press, 2007), 18-29.

3 Gregory of Nazianzus, *Oration* 43.6.

4 Philip Rousseau, *Basil of Caesarea* (Berkeley: University of California Press, 1998), 6.

vel de confiança que revelávamos as profundezas de nosso coração, tornando-nos cada vez mais unidos em nosso anseio.⁵

Em face desta estimativa da amizade, não é surpreendente que Gregório tenha dito: "Se alguém me perguntasse qual é a melhor coisa na vida, eu responderia: amizades".⁶

Embora Basílio apreciasse profundamente sua amizade com Gregório, nos seus escritos posteriores ele raramente se referiu ao tempo em Atenas. Em uma de suas primeiras cartas, escrita talvez para o homem que se tornaria seu mentor, Eustácio de Sebaste (c. 300-c. 377), Basílio disse que deixara Atenas, "desprezando tudo que havia lá".⁷ E num sermão não datado ele chamou a cidade de "uma escola de impureza"; e isso pode ser uma referência ao fato de que o aprendizado da cidade tinha uma tendência de levar à heresia.⁸ Um dos problemas que a educação em Atenas apresentou para Basílio – com sua ênfase em exibição retórica – era que tal educação parecia ir contra a simplicidade que devia acompanhar o discurso cristão. Portanto, Basílio enfatizou, em uma carta dirigida a Deodoro de Tarso (morreu cerca de 390), que um "estilo simples e natural" convém ao "propósito de um cristão, que escreve não para a exibição, e sim para a edificação geral".⁹ E podia dizer em seu sermão sobre humildade: "Se a sabedoria que vem de Deus está ausente, estas aquisições [de sabedoria e sagacidade humana] são indignas" e "o proveito da sabedoria humana é ilusório".¹⁰

---

5 On His Life 2.225-36, em *Saint Gregory of Nazianzus: Three Poems*, trad. Denis Molaise Meehan, The Fathers of the Church 75 (Washington, DC: The Catholic University of America Press, 1987), 83-84.

6 Citado por Caroline White, *Christian Frienship in the Fourth Century* (Cambridge: Cambridge University Press, 1992), 70.

7 Letter 1, em *Saint Basil: The Letters*, trad. Roy J. Deferrari, 4 vols. (1926-1934; repr. Cambridge, MA: Harvard University Press, 1972), 1:3.

8 É assim que Rousseau – *Basil of Caesarea*, 40 – o interpreta.

9 *Letter* 135.1, em Deferrari, *Saint Basil: The Letters*, 2:307. Quanto a uma discussão adicional sobre este assunto em Basílio, ver Rousseau, *Basil of Caesarea*, 44-60.

10 Homily 20.2 em *Saint Basil: Ascetical Works*, trad. M. Monica Wagner (New York: Fathers of the Church, 1950), 477, 478; daqui para frente, esta tradução será citada como Wagner, *Ascetical Works*. Apesar disso, a obra *Hexameron* (Homílias sobre os Seis Dias de Criação), de Basílio, revela ampla familiaridade com o conhecimento científico de seus dias, o qual ele teria adquirido em Atenas. Ver Meredith, *Cappadocians*, 21.

Em 355 ou 356, Basílio parou seus estudos para retornar ao lar e se tornar um professor de retórica, como seu pai o fora. Sua irmã mais velha, Macrina, que havia sido influenciada fortemente pelo monasticismo de Eustácio, o desafiou a entregar toda a sua vida a Cristo.[11] Foi neste mesmo ano que Basílio se converteu. Em suas próprias palavras:

> Desperdicei quase toda a minha juventude no vão labor que me ocupou na aquisição dos ensinos daquela sabedoria que Deus tornou louca. Então, por fim, como que despertado de um sono profundo, olhei para a maravilhosa luz da verdade do evangelho e percebi a indignidade da sabedoria dos poderosos deste século, que estão condenados à destruição. Depois de haver lamentado profundamente a minha vida miserável, pedi que me fosse dada orientação para minha introdução nos preceitos da piedade.[12]

UM REFORMADOR MONÁSTICO

A conversão de Basílio a Cristo foi também uma conversão a um estilo de vida monástico. O monasticismo se tornara uma forma de discipulado cristão cada vez mais popular depois da aclamação de Constantino I como imperador, em 306, em York. Constantino afirmava ser um cristão e, certamente, acumulara favores sobre a igreja depois que ele conseguiu o controle de todo o Império Romano do Ocidente, em 312.[13] Uma vez que o cristianismo se tornou a religião preferida do governo durante os trinta e um anos do reinado de Constantino e

---

11 Ver Gregory of Nyssa, *The Life of Saint Macrina*, trad. Kevin Corrigan (2001; repr., Eugene, Oregon: Wipf & Stock, 2005), 26.
12 *Letter* 223.2 (tradução minha).
13 Quanto a uma análise da motivação religiosa de Constantino, ver especialmente Hermann Doerries, *Constantine the Great*, trad. Roland H. Bainton (New York: Harper and Row, 1972); Timothy D. Barnes, *Constantine and Eusebius* (Cambridge, MA: Harvard University Press, 1981); Paul Keresztes, "Constantine: Called by Divine Providence", in *Studia Patristica*, ed. Elizabeth A. Livingstone (Kalamazoo, MI: Cistercian, 1985), 18/1:47-53; os ensaios em Noel Lenski, ed., *The Cambridge Companion to the Age of Constantine* (Cambridge: Cambridge University Press, 2006); e Paul Stephenson, *Constantine: Unconquered Emperor, Christian Victor* (London: Quercus, 2009).

se tornou, progressivamente, a única opção religiosa durante os reinos de seus sucessores cristãos, muitos foram tentados a unir-se à igreja apenas porque isso oferecia um meio de avançar na sociedade. Em outras palavras, durantes os séculos IV e V, crentes nominais entraram na igreja em números bastante expressivos, e isso desencadeou uma crise de identidade que se resumia à questão: o que é ser um cristão em uma sociedade "cristã"? Como vimos nos capítulos 2 a 4, durante os séculos II e III as linhas entre a igreja e a sociedade greco-romana estavam clara e acentuadamente definidas. Em certo sentido, os corpos dos mártires eram os limites da igreja. Mas, depois de Constantino, as linhas de demarcação se tornaram completamente incertas. A resposta para essa crise de identidade eclesiástica foi a renovação do movimento que chamamos de monasticismo. Em longo prazo, este movimento criou tanto problemas quanto os que procurava resolver, mas, no século IV, às mãos de expoentes capazes como Atanásio e Basílio de Cesareia, ele funcionou realmente como um veículo de renovação. De fato, ele cumpriu um papel essencial na sobrevivência do cristianismo depois da queda do Império Romano do Ocidente, pois foi nas irmandades monásticas formadas por este movimento de renovação que as Escrituras cristãs foram preservadas e passadas adiante.

A primeira forma de monasticismo era eremita, localizada nos desertos do Egito e da Síria e inspirada na vida de Antônio (c. 251-356), uma vida levada amplamente na solidão e marcada por oração, ascetismo e combate com poderes demoníacos. Por outro lado, Basílio seria o pioneiro no monasticismo cenobítico – uma forma de monasticismo centrada em viver a vida cristã com outros que tinha a mesma maneira de pensar. E, embora Basílio tivesse a opinião de que a vida monástica era para todo crente, ele acreditava realmente que na sociedade greco-romana do século IV, na qual o cristianismo se tornava rapidamente a única religião tolerada e na qual muitos afluíam às igrejas por motivos espúrios, o monasticismo era uma força necessária para a renovação da igreja. Nos anos 360, Basílio se tornou uma figura importante no estabelecimento de comunidades monásticas, as quais ele procurou modelar de conformidade com a experiência da igreja em Jerusalém como ela é descrita nos primeiros capítulos de Atos.

Pouco depois de sua conversão, Basílio foi batizado, uma experiência profundamente marcante para ele e uma experiência que teve ramificações profundas em sua teologia, como veremos. Em 356/357,[14] Basílio saiu para uma viagem às comunidades ascéticas da Mesopotâmia, Síria, Palestina e Egito, muitas das quais, em princípio, parecem tê-lo impressionado grandemente. Nós o achamos escrevendo frases como: "Admirei", "Fiquei extasiado", "Tudo isso despertou minha admiração". Contudo, é interessante notar que ele nunca considerou juntar-se aos monges egípcios e aos sírios. Tampouco ele tentou, ao retornar para casa, imitar as proezas ascéticas deles. Por que não, se parece que ele os admirava tanto? Sua viagem lhe mostrou alguns dos problemas do movimento monástico, notoriamente sua tendência para o elitismo espiritual e o egoísmo e sua falta de cultivar um espírito de humildade e amor ao próximo. Em parte, isso se devia ao fato de que o monasticismo egípcio e o sírio eram de orientação eremita, que levava ao isolamento e à tendência de focalizar-se em suas próprias realizações. Além disso, enquanto Marcos 1.12-13 era o principal texto que inspirava os ascetas egípcios e sírios a retirarem-se para os desertos para combater poderes demoníacos por meio de jejuns e outras características do ascetismo, eram os textos de Atos 2.44 e 4.32 – textos focalizados em comunidade – que estavam por trás do monasticismo de Basílio.[15] Por isso, Basílio pergunta em sua *Regras Longas* 7, na qual ele argumenta em favor do monasticismo cenobítico:

> Como ele mostrará a sua humildade, se não há ninguém com quem ele possa comparar-se e, assim, confirmar sua maior humildade? Como ele dará evidência de sua compaixão, se separou a si mesmo da associação com outras pessoas? E como ele se exercitará na paciência, se ninguém contradiz seus desejos?[16]

---

14 Rousseau, *Basil of Caesarea*, 62.
15 *Long Rules* 7, em Wagner, *Ascetical Works*, 252. Ver também Meredith, *Cappadocians*, 25.
16 *Long Rules* 7, em Wagner, *Ascetical Works*, 251 – alterado.

Também precisamos notar que Basílio nunca desfrutou realmente de saúde robusta.[17] Ele tinha uma doença grave no fígado e mencionava, com frequência, isso e outros problemas físicos em suas cartas. Em 368, ele mencionou incidentalmente numa de suas cartas a Eusébio de Samósata (morreu em 380), um de seus amigos íntimos, que suas forças haviam sido exauridas por uma doença que o manteve na cama durante maior parte do inverno anterior.[18] Três anos depois, ele escreveu a respeito de enfermidades incessantes e de estar confinado ao leito, esperando o fim de sua vida a qualquer momento.[19] Em outra carta a Eusébio, escrita em julho ou agosto de 373, Basílio lhe disse: "Meu corpo tem falhado tantas vezes que não posso nem suportar os menores movimentos sem dores".[20] Em outra carta daquele ano, ele menciona a sua "doença no fígado" e ter tido febre por cinquenta dias.[21] No ano seguinte, Basílio menciona mais febres, diarreia e problemas no intestino.[22] Em 375 ou 376, escrevendo a um médico chamado Meletius, Basílio comparou sua constituição enfraquecida a "uma teia de aranha".[23] Esses problemas físicos não eram conducentes a uma vida de rigor ascético.[24] É sobremodo importante notar que, apesar disso, Basílio disse: "Enquanto temos fôlego, temos a responsabilidade de deixar nada sem fazer para a edificação das igrejas de Cristo".[25]

Quando Basílio retornou a Cesareia, de sua viagem ao Egito e a Síria, em 357 ou 358, ele se uniu aos outros membros de sua família semimonástica

---

17 *Letter* 203.
18 *Letter* 27.
19 *Letter* 30.
20 *Letter* 100, em *Saint Basil: Letters*, trad. Agnes Clare Way, vol. 1 (New York: Fathers of the Church, 1951), 223.
21 *Letter* 138, em Way, *Saint Basil: Letters*, 1: 281.
22 *Letter* 162, em Way, *Saint Basil: Letters*, 1: 322.
23 *Letter* 193, em *Saint Basil: Letters*, trad. Agnes Clare Way, vol. 2 (New York: Fathers of the Church, 1955), 39.
24 Outra razão por que Basílio não estava preparado para implementar o tipo de monasticismo existente no Egito e na Síria era o clima da Ásia Menor, que era bem diferente do clima do Egito. A Ásia Menor tinha um clima frio no inverno, e isso seria prejudicial à saúde de monges que tentassem viver como se estivessem no deserto egípcio. Era essencial que os monges de Basílio não fossem muito longe das cidades, visto que tinham necessidades mais básicas.
25 *Letter* 162, em Way, *Saint Basil: Letters*, 2: 69.

em Anesi, no Ponto. Basílio amava a beleza natural do panorama ao redor da casa de seus antepassados.²⁶ Era um lar em que, conforme Gregório de Nazianzo, duas coisas eram proeminentes: "oração constante e canto incessante de hinos".²⁷ Nos poucos anos seguintes, ele foi acompanhado nesta prática de vida ascética por seu amigo Gregório. Os dois começaram a trabalhar na *Philocalia*, uma compilação dos textos de Orígenes, que Basílio considerava como um teólogo mentor, embora ele nunca fosse acrítico do exegeta do século III. Eles também tinham tempo para ler as Escrituras e orar juntos.²⁸

Durante os anos 360, Basílio fundou ou reformou diversos monastérios. Suas *Regras Longas* e *Regras Breves* foram escritas para regular a vida nestas comunidades. É crucial observarmos que Basílio via estas regras como algo que expressava conselho espiritual que estava em harmonia com as Escrituras. Para Basílio, "somente a Escritura representava a verdadeira regra ou lei para a vida".²⁹ Também precisamos ressaltar que o monasticismo basiliano foi a inspiração para o monasticismo beneditino, a forma predominante na Europa Ocidental entre 500 e 1000. Benedito (c. 480–c. 550), chamado de pai do monasticismo ocidental, instava explicitamente os monges a ler "a regra de nosso santo pai Basílio".³⁰

Foi na formação destas comunidades monásticas e na sua designação para ser bispo de Cesareia, em 370, que Basílio aprendeu pessoalmente as realidades da liderança. Como pessoa, Basílio era tímido e reservado – seu irmão falou de "seu silêncio [ser] mais eficaz do que falar".³¹ Mas ele não foi o último indivíduo tímido – pense em João Calvino – a ser chamado a uma posição de proeminência. Basílio também aprendeu em sua experiência monástica a necessidade de o líder cristão ser um diretor espiritual. Antes, em sua carreira

---

26 Owen Chadwick, "Great Pastors – I. St. Basil the Great", *Theology* 56, n. 391 (1953): 21.
27 Gregory of Nyssa, *Life of Saint Macrina*, 30.
28 *Letter* 2, que foi escrita durante este período de tempo, provê um excelente ponto de partida ao pensamento de Basílio sobre a vida ascética, não muito depois de sua conversão.
29 Andrea Streak, Renouncing the World yet Leading the Church: The Monk-Bishop in Late Antiquity (Cambridge, MA: Harvard University Press, 2004), 49.
30 Citado por Meredith, *Cappadocians*, 24.
31 Citado por Chadwick, "St Basil the Great", 21, 23.

monástica, ele procurava Eusébio de Somósata como um guia espiritual. Eusébio de Samósata era também um mentor e modelo importante para a vida de Basílio. Por sua vez, Basílio era um mentor para Antíoco, sobrinho de Eusébio, e para Anfilóquio de Icônio (c. 340-c. 395), sobrinho de Gregório de Nazianzo.

ESFORÇANDO-SE POR HUMILDADE

Um área importante no pensamento de Basílio sobre a liderança monástica e episcopal era a responsabilidade que o líder monástico e o bispo tinham para ser um homem caracterizado por humildade. Para os autores gregos pagãos clássicos, humildade (*tapeinophrosynē*) e seus cognatos eram termos totalmente negativos e derrogatórios em significado. Eles consideravam humildade a marca de uma pessoa de status inferior; e ela era frequentemente associada com adjetivos como *ignóbil, servil, desprezível, desanimado e subserviente*. A. L. Rowse, um historiador inglês do século XX, sintetiza bem esta visão pagã de humildade quando afirma em *A Cornish Childhood* (Uma Infância em Cornwall), uma autobiografia de seus primeiros anos: "Eu nunca, nem por um momento, entendi por que humildade devia ser considerada uma virtude: eu a julgava desprezível".[32]

Não é surpreendente que a cosmovisão antropocêntrica dos autores gregos pagãos considerasse a humildade como vergonhosa. Aos seus olhos, não havia, nada exaltado na posição de uma pessoa de classe inferior, como, por exemplo, a posição de um escravo. Por contraste, a cosmovisão teocêntrica do Novo Testamento via na humildade uma das melhores maneiras de descrever o relacionamento do homem com Deus. Na mente dos autores do Novo Testamento, a humildade nos ensina quão pequenos são realmente homens e mulheres diante de Deus.

Em última análise, foi a humildade flagrante da vida de Cristo – desde seu nascimento humilde, passando por sua vida de serviço altruísta, até à sua

---

32 *A Cornish Childhood* (1942; repr., London: Jonathan Cape, 1974), 155.

morte humilhante na cruz – que transformou o significado deste mundo. Ele era a própria humildade. Como ele disse: "Vinde a mim, todos os que estais cansados e sobrecarregados, e eu vos aliviarei. Tomai sobre vós o meu jugo e aprendei de mim, porque sou manso e humilde [*tapeinos*] de coração; e achareis descanso para a vossa alma" (Mt 11.28-29). Nestas palavras, Cristo descreve a si mesmo como a incorporação da humildade. Portanto, todos os que verdadeiramente o chamam de Senhor devem procurar reproduzir em sua vida a humildade de seu Senhor. Quando os primeiros cristãos meditavam no significado da vinda de Cristo ao mundo, a sua humildade era central nos pensamentos deles. Um bom exemplo de tal meditação é a *Homilia* 20 de Basílio, *De Humildade*.[33] Como muitos de seus sermões, este não pode ser datado mais precisamente do que dizermos que ele foi dado entre 363 e 378.

Basílio começa explicando como é necessário que homens e mulheres se esforcem para ser humildes:

> Se o homem tivesse permanecido na glória que possuía com Deus, ele teria uma dignidade verdadeira, e não uma dignidade fictícia. Pois ele seria enaltecido pelo poder de Deus, iluminado com sabedoria divina e tornado feliz na posse da vida eterna e suas bênçãos. Mas, visto que ele parou de desejar a glória divina, na expectativa de um prêmio melhor, e se esforçou pelo inatingível, ele perdeu o bem que estava em seu poder possuir. A salvação mais segura para ele, o remédio para os seus males e o meio de restauração ao seu estado original está em praticar a humildade, não imaginando que possa reivindicar qualquer glória por meio de seus próprios esforços, mas buscando-a de Deus.[34]

O caminho de salvação – Basílio assegura seus ouvintes naquela época e seus leitores agora – é um caminho de humildade. Para que você

---

33 Wagner, *Ascetical Works*, 475-86.
34 *Homily* 20.1, em Wagner, *Ascetical Works*, 475.

não pense que, nesta passagem, Basílio está afirmando algum tipo de justiça de obras, veja a sentença final. Nela, Basílio enfatiza que possuir a esperança da glória eterna é dom de Deus, dado somente àqueles que se humilham para aceitá-la. Ela não pode ser obtida por esforço humano. Como Basílio afirma em outro lugar, o escape da "condenação devida aos nossos pecados" só pode acontecer "se cremos na graça de Deus [dada] por meio de seu Filho unigênito".[35]

Em um sentido, o foco do sermão é a aquisição da glória – a glória perdida por Adão, no jardim, aquela glória pela qual um homem é "enaltecido pelo poder de Deus, iluminado com sabedoria divina e tornado feliz na posse da vida eterna e suas bênçãos". Ela não pode ser achada por meio riqueza ou poder político – que trazem consigo "uma glória mais insubstancial do que um sonho" – nem por "força do braço, ligeireza de pés e beleza do corpo" ou sabedoria humana.[36] Então, o que é a verdadeira glória? Apenas isto: conhecer o Deus vivo.

Mas, o que é a verdadeira glória e o que torna um homem grande? "O que se gloriar", diz o profeta, "glorie-se nisto: em me conhecer e saber que eu sou o SENHOR" [Jr 9.24]. Isto constitui a mais elevada dignidade do homem, isto é, a sua glória e grandeza: conhecer verdadeiramente o que é grande e apegar a isto e procurar a glória do Senhor da glória. O apóstolo nos fala: "Aquele que se gloria, glorie-se no Senhor", dizendo, "o qual se nos tornou, da parte de Deus, sabedoria, e justiça, e santificação, e redenção, para que, como está escrito: Aquele que se gloria, glorie-se no Senhor" [1 Co 1.30, 31]. Ora, esta é a glória perfeita e consumada em Deus: não exultar em sua própria justiça, mas, reconhecendo-se destituído da verdadeira justiça, ser justificado pela fé somente em Cristo.[37]

---

35 *Concerning Baptism* 1.2 (tradução minha).
36 *Homily* 20.1-2, em Wagner, *Ascetical Works*, 475-78, passim.
37 *Homily* 20.3, em Wagner, *Ascetical Works*, 478-79, alterado.

Fundamental à humildade, argumenta Basílio neste texto, é o reconhecimento, por parte do homem e da mulher, de que são totalmente destituídos de toda a verdadeira justiça e santidade. Para obtê-las, a pessoa tem de se lançar sobre a misericórdia de Deus e confessar que é tornada justa diante de Deus – ou seja, justificada – tão somente por meio de Cristo.[38] Em outras palavras, tornar-se um cristão é intrinsecamente uma experiência humilhante. O que torna os seres humanos verdadeiramente grandes – o que lhes traz glória, algo que os antigos buscavam ardentemente – é olharem para fora de si mesmos, para Deus.

Esta passagem revela claramente a oposição fundamental de Basílio a qualquer ideia de que podemos salvar a nós mesmos, por nossas boas obras, a própria ideia enunciada 30 anos depois da morte de Basílio pelo herege Pelágio (influente em 400-420). Em outras palavras, o pensamento de Basílio, aqui expresso, é uma sombra do pensamento desenvolvido de Agostinho, que, em resposta a Pelágio, argumentou em favor da total espontaneidade da misericórdia e graça de Deus e argumentou que pecadores não podem merecer estes dons de Deus.[39] De fato, Basílio cita em seu sermão 1 Coríntios 4.7, que neste respeito era o versículo favorito de Agostinho: "Que tens tu que não tenhas recebido? E, se o recebeste, por que te vanglorias, como se o não tiveras recebido?".[40] Não é surpreendente que os reformadores do século XVI, ao procurarem argumentar que seu ponto de vista sobre a graça salvadora não era tão novo como diziam os seus oponentes católicos romanos, recorriam a esse texto de Basílio.[41]

A humildade, portanto, leva o crente a reconhecer que não tem nada de que se gloriar. Nosso conhecimento de Deus, nossas boas obras e nossas posses – tudo está arraigado na graça, bondade e misericórdia de Deus. Basílio elabora:

---

38 David Amand, *L'Ascèse monastique de saint Basile* (Maredsous, France: Editions Maredsous, 1948), 313.
39 Ibid., 313, n. 230.
40 *Homily* 20.4, em Wagner, *Ascetical Works*, 480, alterado.
41 Ver D. F. Wright, "Basil the Great in the Protestant Reformers", *Studia Patristica*, ed. Elizabeth A. Livingstone (Oxford: Pergamon, 1982), 17/3:1153.

Por que... você se gloria em suas obras, como se elas fossem suas próprias realizações, em vez de dar graças a Deus por seus dons? "Pois... que tens tu que não tenhas recebido? E, se o recebeste, por que te vanglorias, como se o não tiveras recebido?" [1 Co 4.7]. Você não conhece a Deus por causa de sua justiça, mas Deus conhece você por causa da bondade dele mesmo. "Agora que conheceis a Deus", diz o apóstolo, "ou, antes, sendo conhecidos por Deus". Você não conquistou a Cristo por causa de sua virtude, mas Cristo conquistou você por sua vinda.[42]

Portanto, Basílio insta todos os seus leitores, tanto do passado como do presente, a "se esforçarem pela glória com Deus, pois ele é uma recompensa gloriosa".[43] Este esforço por glória com Deus é, na perspectiva de Basílio, a mais importante demonstração prática de humildade.

Que passos práticos uma pessoa pode dar para crescer na graça da humildade, enquanto lembra que, para Basílio, a humildade é fundamentalmente uma obra do Espírito Santo? Porque o Senhor Jesus é o paradigma vivo do que é a humildade, reflexão e meditação constante em sua vida é essencial ao crescimento em humildade.

Em tudo que diz respeito ao Senhor, achamos lições de humildade. Como um infante, ele foi deitado em uma caverna, e não em uma cama, e sim em uma manjedoura. Na casa de um carpinteiro e de uma mãe que era pobre, ele foi sujeito à sua mãe e ao seu pai. Ele foi instruído e prestou atenção àquilo que ele não precisava aprender. Ele fez perguntas, mas, até no perguntar, ganhou admiração por sua sabedoria. Ele se submeteu a João – o Senhor recebeu o batismo das mãos de seu servo. Ele não fez uso do poder maravilhoso que possuía para resistir a qualquer daqueles que o atacaram, mas, como que rendido a força superior, ele permitiu que a autoridade temporal

---

42 *Homily* 20.4, em Wagner, *Ascetical Works*, 480, alterado.
43 *Homily* 20.7, em Wagner, *Ascetical Works*, 485, alterado.

> exercesse a autoridade que lhe era própria. Foi levado diante dos sacerdotes como um criminoso e, depois, ao governador. Ele suportou calúnias em silêncio e submeteu-se à sua sentença, embora pudesse ter refutado os testemunhos falsos. Foi tratado com desprezo pelos escravos e pelos criados mais insignificantes. Ele se entregou à morte, a mais vergonhosa morte conhecida pelos homens. Portanto, desde o seu nascimento até ao fim de sua vida, ele experimentou todas as severidades que sobrevêm à humanidade e, depois de mostrar humildade em grau tão elevado, manifestou sua glória, associando consigo mesmo, em glória, aqueles que haviam compartilhado de sua desgraça.[44]

Como os puritanos de época posterior, Basílio não era relutante em dar conselho específico a grupos diferentes de crentes. Por exemplo, dirigindo-se aos cristãos prósperos, Basílio os exortou a reconhecerem a mão de Deus em tudo que possuíam e a não se gloriarem em suas riquezas, como se as tivessem adquirido sem a graça de Deus; outra vez: "Por que, então, vocês se gloriam em seus bens como eles fossem de vocês mesmos, em vez de darem graças ao Doador dos dons? 'Pois... que tens tu que não tenhas recebido? E, se o recebeste, por que te vanglorias, como se o não tiveras recebido?'" (1 Co 4.7).[45] Para Basílio, a humildade estava intimamente ligada ao reconhecimento da graça de Deus que permeia toda a vida e deve levar-nos a uma humilde dependência de Deus.

Basílio também não hesitou em censurar aqueles que eram inclinados a menosprezar outros cuja maturidade cristã era questionável.

> Aquele fariseu severo, que, em sua arrogância, não somente se vangloriou de si mesmo, mas também menosprezou o publicano na presença de Deus, tornou sua "justiça" nula por ser culpado de orgulho. O publicano desceu justificado em preferência ao fariseu,

---

44 *Homily* 20.6, em Wagner, *Ascetical Works*, 483-84, alterado.
45 *Homily* 20.4, em Wagner, *Ascetical Works*, 480, alterado.

porque deu glória a Deus, o Santo, e não ousou levantar os olhos, mas procurou somente obter graça, acusando-se a si mesmo por sua postura [e] por bater em seu peito... Acautele-se, portanto, e guarde em mente este exemplo de perda grave por causa de arrogância... Nunca coloque a si mesmo acima dos outros, nem mesmo dos maiores pecadores.[46]

Basílio recomendava atenção a todos os detalhes da vida, para desarraigarmos o orgulho de cada fresta de nosso ser. Em outras palavras, humildade tem de ser uma prática e um esforço diário.

Sua maneira de falar e de cantar, sua conversa com seu próximo também deve ter como alvo a modéstia, e não a presunção. Não se esforce, eu lhe rogo, por um embelezamento artificial no falar, por doçura nauseante no cantar ou por um... estilo requintado na conversa. Em todas as suas ações, livre-se de pomposidade. Seja prestativo para com seus amigos, gentil para com seus servos, paciente para com os presunçosos, benigno para com os simples, uma fonte de conforto para os aflitos, um amigo para o entristecido, um condenador de ninguém... Não fale em seu próprio louvor, não leve outros a fazerem isso.[47]

Humildade é especialmente necessária para aqueles que são líderes. Basílio insta os líderes a serem conscientes do fato de que são chamados a servir seus irmãos por meio da liderança que exercem e não a dominar sobre eles.[48]

Suponha que você foi considerado digno do episcopado, e homens trovejam a seu respeito e o estimam. Desça ao nível de seus subordinados, "não como dominadores do clero" [cf. 1 Pe 5.3] e não se

---

46 *Homily* 20.4, em Wagner, *Ascetical Works*, 481-82, alterado.
47 *Homily* 20.7, em Wagner, *Ascetical Works*, 484-85.
48 *Homily* 20.7, em Wagner, *Ascetical Works*, 485-86.

comporte como o fazem as autoridades do mundo. O Senhor ordenou que aquele que deseja ser o primeiro seja servo de todos.⁴⁹

Quando Basílio conclui o sermão, ele retorna ao tema principal anunciado no começo, ou seja, achar a verdadeira glória.

> Esforce-se pela glória com Deus, pois ele é uma recompensa gloriosa... Esforce-se pela humilde, a ponto de tornar-se um amante desta virtude. Ame-a, e ela o glorificará. Depois, você viajará com bons resultados pela estrada que leva àquela verdadeira glória que se acha com os anjos e com Deus. Cristo o reconhecerá como seu discípulo diante dos anjos e o glorificará, se você imitar a humildade dele.⁵⁰

No âmago da experiência monástica de Basílio, havia uma paixão vitalícia por ser um homem santo. Ele entendia corretamente que a vida cristã não é apenas uma aceitação de certas noções ortodoxas, assim como a igreja universal é muito mais do que um sistema coerente de crenças ortodoxas. Tanto para o cristão individual como para a igreja, é uma vida de santidade vivida em humildade para a glória de Deus. O verdadeiro cristianismo é tanto ortodoxia como "ortopraxia". E ambas essas coisas, para Basílio, estão arraigadas na obra do Espírito Santo de dar vida. Como tal, não é surpreendente que Basílio, também, cumpriu um papel importante na articulação da doutrina ortodoxa da Trindade. Sua principal obra teológica, *Sobre o Espírito Santo*, escrita em 375 marcou um passo decisivo em direção à solução de uma controvérsia que rugia entre as igrejas desde 318.

A CONTROVÉRSIA ARIANA

No começo século IV, emergiu uma rejeição premeditada da plena deidade do Filho e do Espírito. Por meio do ensino de Ário (260/280-336),

---

49 *Homily* 20.7, em Wagner, *Ascetical Works*, 485-86.
50 *Homily* 20.7, em Wagner, *Ascetical Works*, 485-86, alterado.

um presbítero e ex-pregador popular na igreja em Alexandria, a igreja em todo o Império Romano foi mergulhada numa enfadonha e amarga controvérsia sobre a pessoa de Cristo e de seu Espírito, uma controvérsia que dominou maior parte do século IV.[51]

A carreira de Ário antes de 318, quando suas opiniões se tornaram controversas, é obscura. Foi nesse ano que ele afirmou publicamente que somente o Pai era verdadeiramente Deus. Como ele escreveu em uma carta dirigida a Alexandre (morreu em 328), bispo de Alexandria, "somente Deus, o Pai, a causa de todas as coisas, é sem começo". O Filho foi criado pelo Pai como "uma criatura perfeita, imutável e inalterável", e, por isso, ele "não é eterno e coeterno com o Pai".[52] Nas palavras de Ário, "o Filho tem um começo, mas o Pai é sem começo".[53] Para Ário, houve um tempo em que o Filho não existia, um tempo quando era inapropriado chamar Deus de "Pai". No que concerne ao Espírito Santo, pelo reconhecimento de Ário, ele era ainda menos divino do que o Filho, pois era a primeira das criaturas feitas pelo Filho.

Ário afirmava estar seguindo a Escritura. É importante notarmos que esta era a principal batalha que tinha de ser travada. Ele citava textos como João 14.28 – "O Pai é maior do que eu" – ou Colossenses 1.15 – no qual Cristo é chamado de "o primogênito de toda a criação" - para reforçar a sua posição. Ário era também profundamente temeroso de sabelianismo. Em procurar evitar essa heresia, ele caiu no erro igualmente pernicioso de negar a plena deidade do Filho e do Espírito.

A resposta inicial de Alexandre foi enfatizar que o Filho é realmente tão eterno quanto Deus, o Pai. De acordo com Ário, Alexandre ensinou: "Sem-

---

51 Quanto a estudos sobre esta controvérsia, ver especialmente Jaroslav Pelikan, *The Christian Tradition: A History of the Development of Doctrine*, vol. 1, *The Emergence of the Catholic Tradition (100-600)* (Chicago: University of Chicago Press, 1971), 172-225; R. P. C. Hanson, *The Search for the Christian Doctrine of God: The Arian Controversy 318-381* (1988; repr., Grand Rapids: Baker, 2005); John Behr, *The Formation of Christian Theology*, vol. 2, *The Nicene Faith* (Crestwood, NY: St. Vladimir's Press, 2004). Sobre Ário, ver Behr, *The Nicene Faith*, parte 1, 130-149. Quanto a uma afirmação sucinta das raízes filosóficas e teológicas do arianismo, ver Johannes Roldanus, *The Church in the Age of Constantine: The Theological Challenges* (Abingdon, UK: Routledge, 2006), 74-77.

52 *Letter to Alexander of Alexandria*, em *The Trinitarian Controversy*, trad. William G. Rusch (Philadelphia: Fortress, 1980), 31-32.

53 Arius, *Letter to Eusebius of Nicomedia*, em Rusch *The Trinitarian Controversy*, 29-30.

pre Deus, sempre Filho", ou seja, o Filho é coeterno com o Pai.[54] Portanto, nunca houve um tempo em que o Pai esteve sem o Filho. Logo, o Filho tem de ser plenamente Deus.[55] Alexandre convocou Ário para uma reunião de todos os líderes da igreja de Alexandria e o exortou a reconsiderar suas opiniões. Quando Ário se recusou, um rompimento se tornou inevitável. Em 321, Alexandre convocou um concílio de uns 100 presbíteros do Egito e Líbia, que elaborou um credo e repudiou as opiniões incomuns de Ário. Quando Ário e aqueles que o apoiavam recusaram aceitar este documento, o concílio não teve escolha senão excomungá-los. Mas Ário não tinha a intenção de deixar as coisas quietas. Começou a corresponder-se com outros líderes da igreja fora do Norte da África e, assim, deu um passo definitivo que espalhou a controvérsia para o resto da igreja no Império Romano do Oriente.

O que era especialmente difícil no que diz respeito a este conflito era a natureza "enganosa" das opiniões de Ário. Por exemplo, ele podia chamar Jesus de "Deus". Mas o que ele e seus partidários entendiam com este termo era bem diferente do que Alexandre e seus amigos queriam dizer quando usavam o termo. Para Ário, Jesus era "Deus", mas não plenamente Deus como o Pai. Ário não considerava Jesus o Deus eterno, que compartilhava de todos os atributos do Pai. Na teologia de Ário, o Filho é realmente uma criatura, embora a mais elevada de todas as criaturas.

Por fim, no verão de 325 um concílio foi convocado para oferecer um encerramento definitivo à questão. Cerca de 220 bispos e presbíteros se reuniram em Niceia, a maioria deles procedentes de igrejas no Império Romano do Oriente. A afirmação na forma de credo que eles emitiram, conhecida pelo historiadores como Credo Niceno, tencionava acabar com a disputa, fazendo sua declaração inequívoca de que o Senhor Jesus Cristo é "verdadeiro Deus de verdadeiro Deus, gerado, mas não criado, de um único ser [*homoousios*] com o Pai". Em outras palavras, o Filho foi confessado como sendo verdadeiramente Deus em todo sentido em que o Pai é Deus. A frase principal neste credo é

---

54 Arius, *Letter to Eusebius of Nicomedia*, em Rusch *The Trinitarian Controversy*, 29-30.
55 Quanto a um resumo conciso das opiniões de Alexandre, ver Roldanus, *Church in the Age of Constantine*, 77.

indubitavelmente a afirmação de que o Filho é "de um único ser [*homoousios*] com o Pai". Aqui, a plena deidade do Filho é afirmada, e o termo *homoousios* ressalta o fato de que o Filho compartilha do próprio ser do Pai. Tudo que pertence e caracteriza Deus, o Pai, pertence e caracteriza o Filho. Ele não é uma criatura, e isso é contrário à opinião de Ário e de seus apoiadores.

Deve ser observado que o credo não dizia nada sobre a divindade do Espírito, porque o âmago da controvérsia dizia respeito à natureza do Filho. No entanto, algo explícito neste respeito precisava ser confessado sobre o Espírito. Mas aquela confissão, como veremos, não viria sem controvérsia posterior.

Apesar do que esperavam aqueles que compuseram a confissão, o Credo Niceno não acabou realmente com a controvérsia. Eusébio de Nicomédia (morreu cerca de 342), um político eclesiástico, mundano e inteligente, que apoiava Ário, tinha a consideração do imperador que confessava ser cristão, Constantino, e cumprira um papel central em convocar o Concílio de Niceia. Quando Constantino foi convencido de que a condenação de Ário fora muito severa, vários líderes arianos e o próprio Ário foram trazidos de volta ao favor de 327 em diante, e os líderes entusiastas por Niceia, excluídos nos anos 330.[56]

CONTROVÉRSIA COM EUSTÁCIO DE SEBASTE

Proeminente na defesa da ortodoxia de Niceia, dos anos 330 aos anos 370, foi o sucessor de Alexandre de Alexandria, Atanásio de Alexandria, uma lenda em seu próprio tempo.[57] Por volta do final dos anos 350, Atanásio foi compelido a desenvolver sua defesa do Credo Niceno e da divindade do Filho para a questão da plena divindade do Espírito.[58] E, quando Atanásio morreu em 373, Basílio herdou o seu manto.

---

56 Ibid., 82-84.
57 Quanto à carreira de Atanásio, ver especialmente Alvin Peterson, *Athanasius* (Ridgefield, CT: Morehouse, 1995); Khaled Anatolios, *Athanasius: The Coerence of His Thought* (New York: Routledge, 1998); Behr, *The Nicene Faith*, parte 1, 163-259.
58 Ver *The Letters of Saint Athanasius Concerning the Holy Spirit*, trad. C. R. B. Shapland (London: Epworth, 1951); e Michael A. G. Haykin, *The Spirit of God: The Exegesis of 1 and 2 Corinthians in the Pneumatomachian Controversy of the Fourth Century* (Leiden: E. J. Brill, 1994), 19-24; 59-103.

De fato, no tempo da morte de Atanásio, Basílio estava lutando com cristãos professos que, embora confessassem a plena deidade de Cristo, negavam que o Espírito Santo é plenamente Deus. Liderando estes "lutadores contra o Espírito Santo" (Pneumatomachi), como chegaram a ser conhecidos, não estava outro senão o homem que fora o mentor de Basílio, Eustácio de Sebaste. A controvérsia entre Basílio e Eustácio, a qual, sob certa perspectiva, é parte da controvérsia ariana mais ampla, se tornou conhecida como a controvérsia pneumatomaquiana.

O interesse de Eustácio no Espírito Santo parece ter-se focalizado na obra do Espírito, e não em sua Pessoa. Para ele, o Espírito Santo era primariamente um dom divino na pessoa cheia do Espírito, Aquele que produz santidade.[59] Quando, numa ocasião em um sínodo, em 364, ele foi pressionado a dizer o que pensava sobre a natureza do Espírito, ele respondeu: "Nem escolhi chamá-lo Espírito Santo de Deus, nem ouso chamá-lo uma criatura!"[60]

Por vários anos, Basílio tentou ganhar Eustácio para a posição ortodoxa. Por fim, no verão de 373, os dois se encontraram para um importante colóquio de dois dias, no qual, depois de muita discussão e oração, Eustácio concordou com uma opinião ortodoxa sobre a natureza do Espírito. Em um segundo encontro, Eustácio assinou uma declaração de fé que dizia:

> [Nós] devemos anatematizar aqueles que chamam o Espírito Santo de criatura, aqueles que pensam assim e aqueles que não confessam que ele é santo por natureza, como o Pai e o Filho são santos por natureza, mas que o consideram um estranho à natureza bendita e divina. Uma prova da doutrina ortodoxa é a recusa de separá-lo do Pai e do Filho (pois temos de ser batizados quando recebemos as palavras, temos de crer quando somos batizados e temos de dar honra,

---

59 Wolf-Dieter Hauschild, "Eustathius von Sebaste", *Theologische Realenzyklopädie* 10 (1982): 548-49. Sobre Eustácio e sua posição teológica, ver também Haykin, *Spirit of God*, 24-49. Sobre a carreira de Eustácio, ver também Jean Gribomont, "Eustathe de Sébaste", em *Dictionnaire de Spiritualité*, 4/2 (1961), 1708-12; C. A. Frazee, "Anatolian Asceticism in the Fourth Century: Eustathios of Sebaste and Basil of Caesarea", *The Catholic Historical Review* 66 (1980): 16-33.

60 Socrates, *Church History* 2.45.

quando cremos, ao Pai, ao Filho e ao Espírito Santo) e evitar a comunhão daqueles que chamam o Espírito de criatura, visto que são claramente blasfemos. Concordamos (este comentário é necessário por causa dos caluniadores) que não dizemos que o Espírito Santo é não gerado, pois conhecemos o único não gerado e única fonte do que existe, o Pai de nosso Senhor Jesus Cristo, também não dizemos que ele é gerado, pois fomos instruídos, pela tradição da fé, de que há apenas um Unigênito. Mas, visto que fomos instruídos de que o Espírito da verdade procede do Pai, confessamos que ele é de Deus sem ser criado.[61]

No pensamento de Basílio, visto que o Espírito é santo sem qualificação, ele não pode ser uma criatura e tem de ser indivisivelmente um com a natureza divina. A confissão desta unidade era tanto o critério de ortodoxia como a base sobre a qual a comunhão podia ser determinada para com aqueles que afirmavam que o Espírito é uma criatura. Esta posição pneumatológica definia os limites precisos além dos quais Basílio não estava disposto a aventurar-se, nem mesmo por um amigo como Eustácio.

No entanto, outra reunião foi marcada par outubro de 373, na qual Eustácio assinaria esta declaração na presença de vários líderes cristãos. Mas, no caminho de volta para casa, retornando do encontro com Basílio, Eustácio foi convencido, por alguns amigos, de que Basílio estava profundamente errado. Durante os dois anos seguintes, Eustácio viajou pelo que hoje é a moderna Turquia denunciando Basílio e afirmando que o bispo de Cesareia era sabeliano ou modalista, ou seja, alguém que acreditava que não há nenhuma distinção entre as pessoas da Divindade.

Basílio ficou tão chocado com o que aconteceu, que se manteve quieto por quase dois anos. Como escreveu mais tarde, em 376, ele ficou tão "admirado com a mudança inesperada e repentina" em Eustácio, que foi incapaz de responder. E disse mais:

---

61 *Letter* 125.3 (tradução minha).

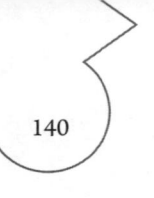

Pois meu coração estava partido, minha língua ficou paralisada, minha mão, amortecida, e experimentei o sofrimento de uma alma ignóbil... e quase cai em misantropia... [Portanto,] eu não estava em silêncio por desdém... mas por desânimo, perplexidade e incapacidade de dizer algo proporcional à minha tristeza.[62]

SOBRE O ESPÍRITO SANTO

Por fim, Basílio sentiu que devia falar. Suas palavras formaram um dos livros mais importantes de todo o período patrístico, *Sobre o Espírito Santo*, publicado em 375.[63] A ocasião imediata do tratado foi uma pergunta de Anfilóquio de Icônio sobre a forma correta de linguagem doxológica em relação a Deus. Os pneumatomaquianos sustentavam que tinha de ser algo assim: "Damos glória ao Pai *por meio de* seu Filho, *no* Espírito Santo". A recusa deles em confessar que o Espírito Santo é plenamente divino moldou claramente o seu argumento neste respeito. Por outro lado, Basílio estava comprometido com a divindade plena do Espírito Santo e, portanto, podia dar "glória ao Pai com o Filho, juntamente com o Espírito Santo".[64] Depois de mostrar por que os cristãos creem na deidade de Cristo (caps. 1-8), Basílio dedicou o âmago do seu tratado a demonstrar, com base na Escritura, por que o Espírito tem de ser glorificado *igualmente* com o Pai e com o Filho (caps. 9-27) e reconhecido implicitamente como Deus. A fórmula batismal expressa em Mateus 28.19 é totalmente central neste argumento, pois ela revela que o Espírito é inseparável do ser divino do Pai e do Filho. A fórmula de batismo a ser usada no rito de batismo não diz: "Nos nomes do Pai, e do Filho, e do Espírito". A menção é feita apenas ao nome singular dos três, que

---

62 *Letter* 244.4 (tradução minha).
63 Quanto a leituras adicionais sobre a controvérsia pneumatomaquiana e o papel de Basílio nesta controvérsia, ver Haykin, *The Spirit of God*, 24-49. 104-69; Howard Giffith, "The Churchy Theology of Basil's *De Spiritu Sancto*", *Presbyterion: Covenant Seminary Review* 25 (1999): 91-108; e Mark J. Larson, "A Re-examination of *De Spiritu Sancto*: Saint Basil's Bold Defense of the Spirit's Deity", *Scottish Bulletin of Evangelical Theology* 19, n. 1 (Spring 2001): 65-84; Hildebrand, *Trinitarian Theology of Basil of Caesarea*.
64 *On The Holy Spirit* 1.3.

é uma indicação distinta da unidade deles. Há um único Deus que se revelou a si mesmo como "o Pai, o Filho e o Espírito Santo".[65] Além disso, nos mesmo termos que a igreja batiza, ela deve ensinar e adorar. Se ela batiza em nome do Pai, do Filho e do Espírito Santo, ela deve ensinar a deidade dos três e a conveniência da adoração deles.

Além do mais, ao lado, e não abaixo, do Pai e do Filho, o Espírito participa com o Pai e com o Filho da inteireza da atividade divina, desde a criação dos seres angélicos até ao último julgamento. Por exemplo, o Espírito dá discernimento quanto aos mistérios divinos, visto que ele perscruta as profundezas de Deus (1 Co 2.10), algo que somente alguém que é totalmente divino pode fazer.[66] Ele capacita homens e mulheres a confessarem a verdadeira identidade de Cristo e adorarem-no (1 Co 12.3).[67] Estes dois textos esclareciam para Basílio como a salvação era transmitida: por meio do poder do Espírito homens e mulheres chegam a um conhecimento salvífico sobre a obra redentora de Deus no Cristo crucificado e são capacitados a chamá-lo de Senhor. Portanto, se o Espírito não é totalmente divino, a obra de salvação é frustrada, pois criaturas não podem dar tal conhecimento salvífico. Também, o Espírito é onipresente (Sl 139.7), um atributo que somente Deus possui.[68] E o Espírito Santo é chamado "Deus" por Pedro (At 5.3-4).[69]

A FONTE DE SANTIDADE

A introdução de todo o argumento de Basílio é o capítulo 9, que transmite um tom diferente daquele que permeia a seção principal do livro. Pode ter sido uma meditação sobre o Espírito Santo que Basílio apresentou em ocasião separada, talvez a uma audiência monástica, e que ele achou seria uma

---

65 *On The Holy Spirit* 10.24; 10.26; 12.28; 13.30; 17.43; 18.44.
66 *On The Holy Spirit* 16.40; 24.56.
67 *On The Holy Spirit* 18.47.
68 *On The Holy Spirit* 23.54.
69 *On The Holy Spirit* 16.37.

introdução perfeita para a principal seção do livro por causa de sua natureza não polêmica.⁷⁰

[O Espírito Santo] vive não porque ele é dotado de vida, mas porque ele é o doador da vida... a fonte da santificação... Ora, a relação que existe entre o Espírito Santo e nossa alma não é uma relação de proximidade local, pois como pode você, condicionado ao corpo, se aproximar daquele que é incorpóreo? Ela consiste de abandonar as concupiscências que, fomentadas pelo amor da carne, se prendem à alma e a alienam de sua comunhão com Deus. Portanto, é somente por meio de sermos purificados da vergonha, a mancha causada pela impiedade, por retornarmos à nossa beleza natural, e, por assim dizer, limparmos e restaurarmos a imagem do Rei, que podemos nos aproximar do Paracleto. E ele, como o sol, quando a sua vista é clareada, lhe mostrará em si mesmo a imagem do invisível. E, na bendita visão da imagem, você contemplará a beleza inefável do arquétipo. Por meio dele, corações são animados, os fracos são tomados pela mão, os que avançam são aperfeiçoados. Ele, derramando seus raios brilhantes sobre aqueles que são purificados de toda mancha, os torna espirituais por sua comunhão com ele mesmo. E, assim como corpos transparentes e claros tornam-se radiantes, quando um raio de luz cai sobre eles, e difundem seu esplendor ao redor, assim também as almas iluminadas pelo Espírito, que habita nelas, são tornadas espirituais e transmitem sua graça aos outros. Disso vem o conhecimento do futuro, o entendimento dos mistérios, a compreensão de segredos, a distribuição de dons, a vida celestial, companheirismo com anjos, alegria infindável, permanência em Deus, semelhança com Deus, o mais

---

70 Aqui eu sigo a excelente monografia de Hermann Dörries, *De Spiritu Sancto: Der Beitrag des Bailius zum Abschluss des trinitarischen Dogmas* (Göttingen: Vandenhoeck & Ruprecht, 1956), 54-56.

sublime dos anseios de nosso coração – o ser Deus. Essas são, em resumo, as ideias que nos têm sido ensinadas pelos oráculos do Espírito e que devemos sustentar no que diz respeito à grandeza, à dignidade e às operações do Espírito Santo.[71]

Enquanto Basílio estava pronto a afirmar, em todo este tratado, que a fonte de nossa santidade é o Espírito, esta passagem introduz uma noção contrária: para ir ao Espírito por santificação, devemos ter purificada a nossa alma. Em uma passagem posterior do tratado, o teólogo capadócio afirmou que o Senhor Jesus dá aos seus discípulos o desejo de receber a graça do Espírito.[72] Alguns acham ambiguidade semelhante no irmão de Basílio, Gregório de Nissa. Por exemplo, no relato de Gregório sobre a morte de sua irmã, bem como de Basílio, em sua obra *A Vida de Santa Macrina*, Gregório salienta o papel que a vontade de Macrina cumpriu em sua piedade por controlar totalmente suas emoções quando ela enfrentava a morte. Ao mesmo tempo, Gregório afirma claramente, em uma passagem, que a piedade de sua irmã foi resultado da "graça interior do Espírito Santo".[73] A ambiguidade dos teólogos capadócios pode ter sua origem, em parte, no fato de que a primazia da graça divina ainda não se tornara um assunto importante de contenção, como o seria no início do século V na controvérsia pelagiana. Em parte, a ênfase na liberdade humana também remonta à luta da igreja com o determinismo gnóstico no século II.

O que é mais significativo a respeito da passagem citada é a ênfase de Basílio de que no Espírito nós vemos o Filho, "a imagem do invisível" e de que no Filho somos levados à visão da "beleza inefável do arquétipo", ou seja, o Pai.[74] Esta maneira de ascender ao Pai também mostra o entendimento de Basílio a respeito de adoração. Como ele afirma depois em *Sobre o Espírito Santo*:

---

71 *On The Holy Spirit* 9.22-23, em *Basil the Great... On the Holy Spirit*, rev. ed., trad. George Lewis, Christian Classic Series 4 (London: Religious Tract Society, sd). 53-54.

72 *On The Holy Spirit* 22.53.

73 Gregory of Nyssa, *The Life of Saint Macrina*, 36. Ver também David Roach, "Macarius the Augustinian: Grace and Salvation in the Spiritual Homilies of Macarius-Simeon", *Eusebeia: The Bulletin of the Andrew Fuller Center for Baptist Studies* 8 (Fall 2007): 91-92.

74 Quanto a este mesmo ponto, ver Basil, *On the Holy Spirit* 18.47; 26.64; *Letter* 226.3.

Na adoração, o Espírito Santo é inseparável do Pai e do Filho; pois separado dele, você não o adorará de maneira alguma. Mas, estando nele, você não pode separá-lo do Pai, de modo algum, assim como você não pode separar a luz das coisas vistas, pois é impossível ver a imagem de Deus, exceto pela iluminação do Espírito. E aquele que contempla a imagem não pode separar a luz da imagem, pois a causa da visão é, por necessidade, vista juntamente com as coisas que vemos... Portanto, pela iluminação do Espírito, contemplamos o esplendor da glória de Deus; e, pela impressão, somos levados àquele de quem ele é a impressão e a representação exata.[75]

Em ambas as passagens de *Sobre o Espírito Santo*, Basílio estava escrevendo baseado em Hebreus 1.3 e Colossenses 1.15, nas quais o Filho é descrito como a imagem do Pai, a quem Basílio chamou de "arquétipo". Durante o curso da controvérsia ariana, tornou-se comum argumentar que, sendo o Filho a imagem do Pai, isso significava que havia uma comunidade de natureza entre o Filho e o Pai. Mas conhecimento da imagem e, por extensão, seu arquétipo é impossível sem o Espírito Santo, que revela o Filho – aqui, Basílio se baseou em 1 Coríntios 12.3. Além disso, este conhecimento é dado pelo Espírito "em si mesmo". Conhecimento e adoração de Deus não vêm por meio de um intermediário, como um anjo, mas é dado para Deus mediante ou nele mesmo – ou seja, no Espírito, que, por isso, tem de ser divino. Este texto nos diz por que o Espírito é inextricavelmente unido ao Pai e ao Filho. Sua relação epistêmica e doxológica com o Pai e com o Filho fala de uma união ontológica.[76] Como Basílio comentou em uma de suas cartas: "Portanto, nunca divorciamos o Paracleto de sua unidade com o Pai e o Filho; pois nossa mente, quando iluminada pelo Espírito, olha para o Filho e nele, como numa imagem, vê o Pai".[77]

Ora, se o Espírito é Deus, como o seu relacionamento com o Pai difere do relacionamento do Filho com o Pai? Esta era uma pergunta vital para os te-

---

75 Basil, *On The Holy Spirit* 26.64, em Lewis, *Basil the Great... On the Holy Spirit*, 123.
76 Hildebrand, *Trinitarian Theology of Basil of Caesarea*, 187, 190-91.
77 *Letter* 226.3 (tradução minha).

ólogos gregos no século IV, visto que eles temiam o fantasma do sabelianismo, que negava as diferenças hipostáticas entre as pessoas na Divindade. Basílio se voltou a textos da Escritura como João 15.26, 1 Coríntios 2.12 e Salmos 33.6, para argumentar que o Espírito "procede da boca do Pai e não é gerado como o Filho".[78] Basílio explicou imediatamente esta figura. Os termos *sopro* e *boca* têm de ser entendidos em uma maneira apropriada a Deus. A comparação do Espírito com sopro não significa que ele é igual ao sopro humano, que se dissipa logo após a exalação, pois o Espírito é um ser vivo que tem poder de santificar outros. Esta figura reflete a natureza de nosso conhecimento sobre Deus. Por um lado, ela indica a relação íntima entre o Pai e o Espírito, portanto o Espírito tem de ser glorificado juntamente com o Pai e o Filho. Por outro lado, a figura nos recorda que o modo de existência do Espírito é inefável, assim o ser da Divindade está além da compreensão humana.[79]

Além disso, Basílio afirma, na passagem de *Sobre o Espírito Santo 9*, citado antes, que essa comunhão com Deus tem um profundo efeito transformador sobre aqueles que gozam o privilégio de participar dela. O Espírito Santo os torna "espirituais", instrumentos de graça espiritual para outros seres humanos, assim como uma substância transparente, quando a luz incide sobre ela, espalha radiação ao seu redor.[80] A radiação espiritual desses crentes nunca deixa de ser um dom, mas é uma verdadeira radiação do Espírito de Deus. E, certamente, isto é o que Basílio quer dizer quando afirma que o resultado final desta comunhão, por e com o Espírito, é "o mais sublime dos anseios de nosso coração – o ser Deus". Isto não significa que os crentes cessam de ser criaturas finitas e se tornam realmente o Criador, nem neste mundo, nem no mundo por vir. Antes, eles compartilham de tal modo dos atributos comunicáveis de Deus que, em última análise, se tornam perfeitamente amáveis, impecavelmente santos e assim por diante.

É muito fácil os crentes evangélicos que estão corretamente ocupados com o exaltar a graça de Deus esquecerem que essa graça, quando verdadeiramente experimentada, tem um impacto profundo na vida de uma pessoa. A

---

78 *On the Holy Spirit* 18.46; ver também 16.38.
79 Haykin, *Spirit of God*, 143-47.
80 Quanto ao mesmo ponto, ver Basil, *On the Holy Spirit* 21.52.

ênfase de Basílio neste assunto tem, certamente, muito a ensinar ao evangelicalismo contemporâneo. Alguns que leem as palavras de Basílio podem até empacar na ousadia de suas afirmações. Mas é fascinante notar que Jonathan Edwards, um modelo de piedade evangélica, pôde fazer observação quase idêntica em sua obra-prima espiritual, *The Religious Affections* (As Afeições Religiosas):

> O Espírito de Deus é dado aos verdadeiros santos para habitar neles, como sua residência permanente... E ele é apresentado como que estando tão unido às faculdades da alma, que se torna ali um princípio ou fonte de nova natureza e vida... A luz do Sol da Justiça não somente brilha sobre eles, mas é comunicada a eles, para que brilhem também e se tornem pequenas imagens do Sol que brilha sobre eles.[81]

O TRIUNFO DA DOUTRINA DE BASÍLIO SOBRE O ESPÍRITO

Basílio morreu em 1º de janeiro de 379, esgotado de trabalho árduo e enfermidade, esta associada principalmente com seu fígado. Ele nunca testemunhou o triunfo do trinitarianismo pelo qual ele lutou na maior parte dos anos 370, mas, como disse Rowan Greer, "esperamos que, como Moisés, ele tenha visto de longe a terra prometida".[82] A sua última declaração registrada sobre a questão da Trindade foi dada em uma carta escrita em 376 ou 377 dirigida a Epifânio de Salamina (c. 315-403). Este havia pedido a Basílio que interviesse em uma dissensão doutrinária sobre a questão do Espírito em uma comunidade monástica no Monte das Oliveiras. No que diz respeito ao pedido de Epifânio, Basílio respondeu: "Somos incapazes de acrescentar qualquer coisa ao Credo Niceno, nem mesmo a menor adição, exceto a glorificação do Espírito Santo, porque nossos pais fizeram curio-

---

81 *The Religious Affections*, ed. John E. Smith, The Works of Jonathan Edwards 2 (New Haven, CT: Yale University Press, 1959), 200-201.

82 *Broken Lights and Mended Lives: Theology and Common Life in the Early Church* (University Park: Pennsylvania State University Press, 1986), 46.

samente menção desta parte [da fé], visto que naquele tempo nenhuma questão controversa referente ao Espírito havia surgido".[83] Esta passagem é importante por duas razões. Primeira, ela provê, em resumo, a posição que fora alcançada em *Sobre o Espírito Santo*: o Espírito deve ser glorificado juntamente com o Pai e com o Filho. Segunda, Basílio pensava que esta explicação envolvia uma expansão do terceiro artigo do Credo Niceno. Essa expansão veio no credo promulgado pelo segundo concílio ecumênico convocado pelo imperador Teodósio I (347-395).

Com a morte do imperador Valente (328-378), um protetor dos arianos, na desastrosa batalha contra os godos e hunos, em Adrianópolis, na Trácia (378); e o poder imperial passou a um espanhol, Teodósio I, que, em suas convicções teológicas, era comprometido com o trinitarianismo niceno. Determinado a estabelecer a igreja no alicerce do Credo Niceno, Teodósio viajou para Constantinopla, entrando na cidade em 24 de novembro de 380, depois do que ele convocou um concílio que deveria se reunir em Constantinopla em maio seguinte.

Teodósio desejava que os teólogos nicenos presentes no concílio verificassem se podiam convencer os pneumatomaquianos a abandonarem sua opinião deficiente sobre o Espírito. No entanto, o abismo que existia entre os ortodoxos e os pneumatomaquianos, 36 bispos sob a liderança de Eleusius de Cízico – parece que Eustácio havia morrido – era tão amplo que não podia ser transposto sem que um lado sacrificasse tudo que estimava muito. Portanto, os pneumatomaquianos, depois de rejeitarem a proposta de união, deixaram o concílio. Após a sua partida, o concílio aprovou uma declaração confessional que pode ter sido elaborada nas discussões com os pneumatomaquianos, como Adolf Martin Ritter argumentou.[84] Além disso, é muito provável que uma das pessoas importantes por trás da composição desta afirmação em forma de credo foi Gregório de Nissa, o irmão mais novo de Basílio. Gregório bebera profundamente dos poços da Escritura e da doutrina do Espírito defendida por seu irmão.

---

83 *Letter* 258.2.
84 *Das Konzil von Konstantinopel und sein Symobl: Studien zur Geschichte und Theologie des II. Ökumenischen Konzils* (Göttingen: Vandenhoeck & Ruprecht, 1965).

Sem dúvida, o Credo Niceno-Constantinopolitano é um dos mais importantes textos da igreja primitiva. O terceiro artigo, que se refere ao Espírito Santo diz: "Cremos no Espírito Santo, o Senhor, o doador da vida, que procede do Pai. Ele é adorado e glorificado juntamente com o Pai e com o Filho. Ele falou por meio dos profetas". A descrição inicial do Espírito Santo como Senhor, que foi extraída de 2 Coríntios 3.17, lembra uma parte essencial do argumento de Basílio em favor da deidade do Espírito.[85] E designar o Espírito como "o doador da vida" talvez tinha a intenção de ressaltar o dar, por parte do Espírito, não somente a vida física, mas também a vida sobrenatural na regeneração, na santificação e na glorificação, que eram, todas, os principais interesses de Basílio.

A cláusula "que procede do Pai" foi extraída de João 15.26. E fizeram uma mudança importante: em lugar da preposição "do lado de" (*para*), em João 15.26, há a preposição "de dentro" (*ek*), uma mudança baseada em 1 Coríntios 2.12. Esta cláusula servia para diferençar a pessoa do Espírito da pessoa do Filho. Enquanto o Filho é gerado do Pai, o Espírito procede do Pai. Nas palavras de Harold O. J. Brown: "Em última análise, esta linguagem nos diz... que o Pai, o Filho e o Espírito Santo são pessoas distintas". Assim, ela assegura o interesse de Basílio de evitar o sabelianismo e afirma que "na Trindade estamos lidando com três Pessoas distintas, não meramente com modos ou manifestações de uma única e mesma Pessoa".[86] Observe também que o verbo "procede" está no tempo presente, o que equivale a dizer que, como o Pai e o Filho, o Espírito não teve começo.[87]

A próxima cláusula – a "cláusula mais importante", como diz J. N. D. Kelly – é "ele é adorado e glorificado juntamente com o Pai e com o Filho".[88] Como é evidente, teria sido impossível os pneumatomaquianos terem endossado esta afirmação.[89] Esta afirmação se deve claramente ao argumento de

---

85 Ver, por exemplo, *On the Holy Spirit* 21.52.
86 *Heresies* (Garden City, NY: Doubleday, 1984), 133.
87 Ibid., 142-43.
88 *Early Christian Creeds*, 2nd ed. (London: Longmans, Greens and Co., 1960), 342.
89 Ritter, *Konzil von Konstantinopel*, 301.

Basílio em *Sobre o Espírito Santo*, onde ele mostrara, com base nas Escrituras, que a coadoração e a coglorificação do Espírito, com o Pai e o Filho, é correta e apropriada.

A cláusula final, "Ele falou por meio dos profetas", se baseia em 2 Pedro 1.20-21 e Efésios 3.5. Embora ela talvez seja uma referência primária aos profetas do Antigo Testamento,[90] é importante notar que Basílio podia estar descrevendo a inspiração de toda a Bíblia como profética.[91] Sem dúvida alguma, ele considerava o caráter profético das Escrituras como uma prova da divindade do Espírito Santo, que as inspirou.[92]

Este artigo do credo, como o resto da sua afirmação, tem de ser visto como uma *norma normata*, "uma regra que é regulada", e não como uma *norma normans*, "uma regra que regula", como a Igreja Católica e os teólogos ortodoxos afirmam, quando dizem que este credo, ao lado de outros credos da antiguidade, é de absoluta autoridade e infalível. Os credos não são infalíveis. Como outra fórmulas humanas, os credos são subordinados à Escritura, a suprema regra de fé e prática. Como Bruce Demarest o expressou, os credos "são dignos de honra até ao ponto em que estão de acordo com os ensinos da Palavra de Deus".[93] Por outro lado, esta afirmação pneumatológica que temos considerado, como o resto do credo, é uma regra que reflete fielmente o ponto de vista de Deus nas Escrituras. E, como tal, permanece como uma das grandes marcas distintivas da teologia cristã, um fato que nunca pode ser tomado com leviandade.[94] Nem Basílio, nem qualquer outro dos pais da igreja acreditavam que uma afirmação de um credo, como esta, transmitia a essência do Deus trino. Antes, eles falavam desta maneira porque não podiam ficar em silêncio, quer em face de ataque de heresia, quer sob o impacto de sua necessidade íntima de adorar.

---

90 A. de Halleux, "La Profession de l'Espirit-Saint dans le symbole de Constantinople", *Revue Théologique de Louvain* 10 (1979): 30.

91 Hildebrand, *Trinitarian Theology of Basil of Caesarea*, 109-14.

92 De Halleux, "Profession de l'Espirit-Saint", 31.

93 "The Contemporary Relevance of Christendom's Creed", *Themelios* 7, n. 2 (1982): 15-16.

94 Ibid., 15.

CAPÍTULO 7

SALVANDO OS IRLANDESES

A Missão de Patrício

Será pregado este evangelho do reino por todo o mundo, para testemunho a todas as nações. Então, virá o fim.
MATEUS 24.14

Os eruditos têm pensado muito e debatido sobre as razões que estão por trás da queda do Império Romano do Ocidente. Uma multidão de sugestões têm sido apresentadas, indo desde o ridículo ao extremamente plausível – coisas como mudança climática, envenenamento por chumbo da aristocracia, burocracia governamental excessiva e o fim da classe média urbana.[1] Uma abordagem clássica do século XVIII, a do historia-

---

[1] Uma versão anterior deste capítulo apareceu como "'Bound by the Spirit': An Appreciation of Patrick", em *For a Testimony [Mark 13:9]: Essays in Honour of John H. Wilson*, ed. Michael A. G. Haykin (Toronto: Central Baptist Seminary and Bible College, 1989), 45-61. Ver Daonald Kagan, Steven Ozment, and Frank M. Turner, The Western Heritage, 6th ed. (Upper Saddle River, NJ: Prentice Hall, 1998), 192-93. Ver também a lista de 210 sugestões – em alemão – quanto à queda de Roma em Brian Ward-Perkins, *The Fall of Rome and the End of Civilization* (Oxford: Oxford University Press, 2005), 32.

dor Edward Gibbon (1737-1794), mantinha que a queda estava intimamente ligada ao crescimento do cristianismo.[2] Não há dúvida de que muitos dos mais brilhantes pensadores da antiguidade tardia – alguns dos quais conhecemos: Hilário de Poitiers, Basílio de Cesareia, João Crisóstomo (c. 347-407) e Agostinho de Hipona – dedicaram suas energias à vida da igreja e não à do Estado e, por meio disso, drenaram recursos valiosos da esfera política. Mas a explicação de Gibbon talvez seja moldada mais por sua aversão à fé cristã do que por evidência histórica. Outra perspectiva digna de notarmos é a de Arthur Ferrill, que apresentou um argumento convincente em favor de uma explicação militar para o colapso da hegemonia de Roma na Europa Ocidental.[3] É vital observar que nenhuma destas várias teorias pode ser considerada conclusiva, se não explica por que o Oeste foi subjugado sob as invasões de tribos germânicas, enquanto a metade do Oriente continuava, noutra forma, como o Império Bizantino.[4]

Os historiadores deste período são hesitantes em falar de uma "queda" do poder imperial de Roma. Eles preferem mais falar em termos de uma "transformação", uma transição do império da antiguidade tardia para os diversos reinos germânicos semirromanizados do começo da era medieval.[5] Esta perspectiva tem uma longa genealogia, datando pelo menos do tempo de Gibbon, quando o italiano Abbé Ferdinand Galliani (1728-1787), o embaixador napolitano para a França, escreveu: "A queda de impérios? O que isso pode significar? Impérios que não sobem nem descem não caem. Eles mudam sua aparência".[6] Em dias recentes, o principal advogado desta posição tem sido Peter Brown. Em um ensaio reflexivo sobre o *Mundo da Antiguidade Tardia*,

---

2 *History of the Decline and Fall of the Roman Empire*, 3 vols. (1776-1781).
3 *The Fall of the Roman Empire: The Military Explanation* (London: Thames and Hudson, 1986). Quanto a um excelente resumo sobre a estratégia militar e a fraqueza militar que levaram ao colapso do poder romano, ver Michael F. Pavkovick, "Grand Strategy of the Roman Empire", *Military Chronicles* 1, n. 1 (May/June 2005): 14-30.
4 Barry Baldwin, "Roman Empire", em *Encyclopedia of Early Christianity*, ed. Everett Ferguson, 2nd ed., vol. 2 (New York: Garland, 1997), 993.
5 John P. McKay, Bennett D. Hill e John Buckler, *A History of Western Society*, 7th ed. (Boston: Houghton Mifflin, 2003), 184-85; Ward-Perkins, *Fall of Rome*, 3-5.
6 Citado por McKay, Hill e Buckler, *A History of Western Society*, 184.

seu livro de 1971 que argumentava em favor desta nova opinião sobre aqueles dias que encerraram o mundo romano, Brown escreveu que no livro ele fora capaz de discutir a história deste período sem invocar "a noção difundida de decadência".[7]

No entanto, como Bryan Ward-Perkins argumentou em um estudo recente defendendo a noção tradicional de uma queda de Roma, se examinarmos a evidência textual e material do período em questão, não podemos evitar o fato de que "a vinda dos povos germânicos foi bastante desagradável para a população romana, e... os efeitos duradouros da dissolução do império foram dramáticos".[8] E, quando alguém lê os vários testemunhos contemporâneos deste grande evento histórico, são invariavelmente as noções de colapso, desaparecimento e fim que predominam. Por exemplo, depois da derrota catastrófica dos romanos na Batalha de Adrianópolis, em 378, quando o imperador Valente, muitos dos seus maiores oficiais e quase dois terços do exército imperial, no Império Romano do Oriente, foram aniquilados por um exército conjunto de godos e unos, Ambrósio, bispo de Milão e primeiro mentor de Agostinho, estava certo de que "o fim do mundo é chegado" (*mundi finis*) e de que ele e seus contemporâneos estavam "no declínio da era" (*occasu seculi*).[9] Dezessete anos mais tarde, o erudito bíblico e tradutor Jerônimo, escrevendo da relativa tranquilidade em um monastério em Belém, estava convencido, depois de ouvir sobre as invasões hunas no império oriental, de que "o mundo romano estava se dissolvendo", e isso tinha de significar o fim da história.[10] E, na província mais setentrional do Império Romano, um rapaz que hoje conhecemos pelo nome de Patrício experimentou, com certeza, a passagem traumática do império quando foi sequestrado e escravizado por piratas irlandeses.

---

7 "The World of Late Antiquity Revisited", *Symbolae Osloenses* 72 (1997): 14-15.
8 Ward-Perkins, *Fall of Rome*, 10.
9 Exposition of the Gospel accordin to Luke 10.10. Quanto a um breve relato dos acontecimentos que levaram à batalha e da própria batalha, ver F. Homes Dudden, *The Life and Times of St. Ambrose*, vol. 1 (Oxford: Clarendon, 1935), 166-72.
10 *Letter* 60.16, em *The Principle Works of St. Jerome*, trad. W. H. Freemantle, Nicene and Post-Nicene Fathers, Series 2, vol. 6 (repr., Grand Rapids: Eerdmans, 1978) 257, alterado.

DOMÍNIO ROMANO NA BRITÂNIA

Quando Patrício nasceu, os romanos estavam na Britânia havia aproximadamente 350 anos. Ao sul da Muralha de Adriano, eles haviam cortado a terra com uma rede de estradas romanas. Centros urbanos de importância, como Eburacum (Iorque), Glevum (Gloucester) e Londinium (Londres), haviam-se desenvolvido, e, enchendo o interior da província, suntuosas casas de campo haviam sido construídas pela classe alta britânico-romana. Entre esses bretões ricos parece ter-se se desenvolvido uma apreciação e desejo pelo cultura romana, e consequentemente eles procuraram assegurar-se de que seus filhos recebessem uma educação romana apropriada. O historiador Tácito retrata este anseio das classes altas britânicas por adquirir cultura romana em um texto famoso de sua biografia de Agrícola (40-93), o general romano que foi instrumental para estender o domínio romano em toda a Britânia. Agrícola "educou os filhos dos chefes [britânicos] nas artes liberais", Tácito nos informa. E o "resultado foi que, em vez de odiar a lingua latina, eles se tornaram ansiosos por falá-la com eficiência. De maneira semelhante, a nossa veste nacional caiu em graça, e a toga pôde ser vista em todo lugar".[11] Não é surpreendente que os membros desta camada social se tornaram genuinamente bilíngues, conversando tanto em sua língua nativa como no latim de seus dominadores. Por outro lado, as classes inferiores, especialmente aqueles que viviam em áreas rurais, talvez sabiam pouco, ou nem sabiam, latim.[12] A habilidade de Patrício para escrever em latim – embora imperfeito, como veremos – é uma indicação de suas origens sociais; ele era da classe mais alta da sociedade britânico-romana.[13]

---

11 Agrícola 21, em *Tacitus: the Agricola and the Germania*, trad. H. Mattingly, rev. S. A. Handford (Harmondsworth, UK: Penguin, 1970), 72-73.

12 Kenneth Jackson, *Language and History in Early Britain* (Edinburgh: Edinburgh University Press, 1953), 97-106.

13 Quanto a uma discussão do contexto social de Patrício, ver R. P. C. Hanson, *The Life and Writings of the Historical Saint Patrick* (New York: Seabury, 1983), 4-5; E. A. Thompson, *Who Was Saint Patrick?* (Woodbridge, UK: Boydell, 1985), 40-41; Máire B. de Paor, *Patrick: The Pilgrim Apostle of Ireland* (New York: HarperCollins, 1998), 26-28.

Entretanto, no final do século IV, o mundo confortável da classe alta britânica romanizada estava prestes a ser arrasada, para nunca mais ser restaurada. Durante o último quarto daquele século, o império sofreu vários golpes severos que precipitariam o total colapso do domínio imperial no Ocidente no século seguinte. Estes eventos momentosos não deixaram de ter impacto na Britânia romana.

Durante o verão de 406-407, o rio Rino, a fronteira natural ao norte do Império Romano do Ocidente congelou em tal proporção, que grandes números de guerreiros germanos foram capazes de atravessar para saquear os territórios romanos da Gália e da Espanha. Nunca foram expulsos. No verão seguinte, Constantino II (morreu em 411), um usurpador que fora elevado ao poder imperial pelas legiões da Britânia, cruzou o canal para repelir ostensivamente os bárbaros. As legiões nunca retornaram.

Nas décadas seguintes, os britânicos procuraram organizar sua própria defesa contra os invasores saxões do Leste e os ataques relâmpagos dos piratas irlandeses do Oeste. Mas, com a partida das legiões, decadência econômica e cultural começou a se introduzir. As cidades começaram a ser desertadas, e as suntuosas casas de campo das classes altas, abandonadas. O sistema monetário começou a sofrer decadência, e o sistema romano de educação também provavelmente entrou em colapso.[14] Mas o que não entrou colapso, nem partiu com as legiões romanas, foi o testemunho cristão na ilha.

A IGREJA BRITÂNICA

Embora os escritos de Patrício constituam algumas das primeiras evidências literárias de um membro da igreja britânica, há testemunho escrito do século II referente a presença do cristianismo nas ilhas britânicas. Por exemplo, nos anos 190, Tertuliano, o autor norte-africano, afirmou em sua obra *Contra os Judeus* que o cristianismo se espalhara tanto, que alcançara a Britânia e fora além da Muralha Antonina. Em resposta à sua pergunta: "Em quem

---

14 Hanson, *Historical Saint Patrick*, 7.

mais as nações têm crido, senão no Cristo que já veio?", ele afirmou que "mesmo lugares na Britânia... embora inacessíveis aos romanos, têm se rendido a Cristo".[15] No século seguinte, Orígenes, o erudito exegeta egípcio, também mostrou um conhecimento de que a fé cristã tinha conquistado adeptos na Britânia, quando perguntou: "Quando a terra da Britânia concordou em adorar um único deus, antes da chegada de Cristo?" Por volta do final do século II ou no início do século III, "o cristianismo britânico estava suficientemente bem estabelecido, e o número de seus membros era tão grande que cristãos no Norte da África e Alexandria sabiam de sua existência".[16]

Como o cristianismo chegou pela primeira vez às praias britânicas é difícil determinar. W. H. C. Frend sugeriu plausivelmente que o cristianismo foi levado para lá por mercadores ou por soldados estacionados na Britânia.[17] Seja como for, ele não poderia ter-se arraigado entre os bretões nativos, como o foi, se não fosse por causa de pessoas como Irineu, missionário e teólogo no século II, que aprendeu gaulês, a língua dos celtas que viviam na Gália, para alcançá-los com o evangelho.[18] Alcançar os bretões nativos exigiria alguém que, como Irineu, estivesse disposto a aprender o "dialeto bárbaro" dos britânicos nativos. Mas pouco sabemos, pela evidência literária ou pela evidência arqueológica, sobre a igreja na Britânia até ao século IV.

No século IV, aparecem várias afirmações sobre a igreja britânica e seus bispos, afirmações de autores contemporâneos, no continente. Uma afirmação importante foi feita por Atanásio de Alexandria no sentido de que a igreja britânica tinha aceitado plenamente o Credo Niceno e sua condenação da heresia ariana do século IV.[19] Como veremos, uma parte importante do

---

15 *Adversos Judaeos* 7. Ver também Joseph A. Kelly, "The Origins of Christianity in Britain: The Literary Evidence" (ensaio não publicado, maio, 1993), 4-5.

16 Kelly, "Origins of Christianity in Britain", 5. Cf. Henry Chadwick, The Early Church, rev. ed. (London: Penguin, 1993), 63; ele acredita que não foi antes de meados do século III que o cristianismo foi estabelecido com segurança.

17 "Romano-British Christianity and the West: Comparison and Contrast", em *The Early Church in Western Britain and Ireland*, ed. Susan M. Pearce (Oxford: B.A.R., 1982), 6.

18 *Contra Heresias* 1. Prefácio 3.

19 *Carta ao Imperador Joviano* 2.

legado de Patrício para os celtas, na Irlanda, foi a doutrina da Trindade que estava de pleno acordo com a de Niceia.

Evidência arqueológica da Britânia dos séculos III e IV confirmam uma aceitação crescente do cristianismo pelas classes superiores, um movimento que correspondia ao que estava acontecendo no resto do império.[20] Por exemplo, arqueólogos descobriram lugares de culto cristão dos séculos IV e V. O mais interessante destes lugares talvez seja em Lullingstone, no condado de Kent. Ali, foi escavada uma casa de campo que fora construída por volta do final do século I e ampliada próximo do final do século seguinte por uma pessoa de distinção e riqueza. Nos anos 360 e 370, o dono da casa de campo se tornou cristão e um pequeno conjunto de salas, em uma das alas da casa, foi dedicada especificamente ao uso e ao culto cristão. Depois da retirada das legiões romanas nos primeiros anos do século V, a casa de campo foi destruída por fogo e nunca mais foi reconstruída.[21] Os restos das pinturas nas paredes daquelas salas dedicadas ao uso cristão contêm símbolos distintamente cristãos. E numa das paredes há uma representação singular de uma série de figuras, tendo cada um delas cerca de 1,2 metro de altura, vestidas de roupas bonitas e coloridas, de pé, em oração. Isso era, sem dúvida, uma capela rural, disponível para os cristãos que trabalhavam na propriedade, bem como para as pessoas que residiam na casa.[22]

Na virada do século V, também encontramos, pela primeira vez, clérigos britânicos importantes, como Pelágio (influente em 400), cuja perspectiva sobre a fé cristã produziu uma grande controvérsia com Agostinho, o pensador colossal da antiguidade, com Fausto (c. 408-c. 490), um bispo de

---

20 Quanto a uma discussão sobre a evidência da existência do cristianismo na Grã-Bretanha até e incluindo o século IV, ver R. P. C. Hanson, *Saint Patrick: His Origins and Career* (Oxford: Clarendon, 1968), 30-34; Chales Thomas, *Christianity in Roman Britain to A.D. 500* (London: Batsford Academic and Educational, 1981); Kelly, "Origins of Christianity in Britain", 5-9; Philip Freeman, *St. Patrick of Ireland: A Biography* (New York: Simon & Schuster, 2004), 59-60.

21 Roger J. A. Wilson, *A Guide to Roman Remains in Britain* (London: Constable, 1975), 52-53.

22 Ver H. H. Scullard, *Roman Britain: Outpost of the Empire* (London: Thames and Hudson, 1979), 119-21, 166-68; Hanson, *Historical Saint Patrick*, 8-9. Ver também Chadwick, *Early Church*, 63: "Com certeza, uma capela cristã em uma suntuosa casa de campo do século IV surgiu em Lullingstone, em Kent". As

Riez e famoso pregador na Gália,[23] e Ninian (influente em 400), um missionário que trabalhou entre os pictos, no Sudoeste da Escócia, na primeira metade do século V.[24]

A figura da igreja britânica que emerge deste breve relato é a de uma igreja que fizera avanço suficiente na ilha para ter certo número de bispos. Foi capaz de produzir teólogos e estudiosos do calibre de Pelágio e Fausto. E estava procurando evangelizar, pelo menos em certo grau, por meio de homens como Ninian.[25]

A CARREIRA DE PATRÍCIO

Esse é o contexto em que a vida e a carreira de Patrício tem de ser colocada, se queremos apreciá-la corretamente. Ora, as datas do nascimento e da morte de Patrício têm sido, e ainda são, objetos de muito debate. Hanson apresentou um argumento bem convincente em favor de colocar o nascimento de Patrício em redor de 389 e sua morte, 70 anos depois, por volta de 461; mas ele admite que essas datas não possuem nenhuma finalidade.[26] O certo é que Patrício foi um produto da Britânia no final do século IV, e sua atividade missionária na Irlanda ocorreu, em sua maior parte, na primeira metade do século V.[27]

A extensão da carreira de Patrício é bem clara. No começo de suas Confissões, um dos textos que procederam das mãos de Patrício, ele nos fala

---

23 As pinturas, incluindo a série de figuras em adoração, estão no Museu Britânico.

24 A principal fonte sobre a vida e o ministério de Ninian é Bede, *Church History* 3.4. Quanto a uma discussão deste texto de Bede e o ministério de Ninian, ver Hanson, *Saint Patrick: His Origins and Career*, 56-63; Thomas, *Christianity in Roman Britain*, 275-94.

25 Hanson, *Saint Patrick: His Origins and Career*, 69-71; Thomas, *Christianity in Roman Britain*, 198; Freeman, *St. Patrick of Ireland*, viii, 197.

26 *Saint Patrick: His Origins and Career*, 171-88. Ver também Hanson e Cecile Blanc, *Saint Patrick: Confession et Lettre à Coroticus* (Paris: Les Éditions du Cerf, 1978), 18-21. Quanto a outras perspectivas sobre as datas de Patrício, ver Thomas, *Christianity in Roman Britain*, 314-46, passim; Thompson, *Who Was Saint Patrick?*, 166-75. Quanto a um forte argumento em favor de uma data posterior, ver David N. Dumville, *Saint Patrick, A. D. 493-1993* (Woodbridge, UK; Boydell, 1993), 29-33. John T. Koch argumentou em favor de uma data bem posterior, c. 351-c. 428; ver seu capítulo "The Early Chronology for St Patrick (c. 351-c. 428): Some New Ideas and Possibilities", em *Celtic Hagiography and Saints' Cults*, ed. Jane Cartwright (Cardiff: University of Wales Press, 2003), 102-22.

27 *Saint Patrick: His Origins and Career*, 187.

sobre o contexto cultural de sua família e como sua vida no lar foi traumaticamente interrompida.

> Eu sou Patrício, um pecador, muito ignorante, o menor de todos os fiéis e totalmente desprezado por muitos. Meu pai era Calpornius, um diácono, filho de Pocius, um presbítero, da vila de Bannavem Taburniae; ele tinha uma casa de campo [villulam] ali perto, e lá eu fui tomado cativo. Eu tinha cerca de 16 anos. Eu não conhecia o verdadeiro Deus. Foi levado cativo para a Irlanda, com muitos milhares de pessoas – e merecíamos isso, porque nos afastamos de Deus, e não guardamos os seus mandamentos, e não obedecemos nossos bispos, que costumavam nos lembrar a nossa salvação. E o Senhor "derramou sobre nós o furor da sua ira"[28] e "nos espalhou entre as nações",[29] "até aos confins da terra",[30] onde agora minha insignificância é colocada entre estranhos.[31]

Patrício foi criado no que parece ter sido um lar cristão nominal. Ele diz neste texto que seu pai, Calpornius, era tanto um diácono como o proprietário da casa de campo. No único outro texto literário que veio das mãos de Patrício, sua *Carta aos Soldados de Coroticus*, também aprendemos que seu pai tinha vários "servos homens e mulheres" e que Calpornius era também um decurião, ou seja, um oficial do conselho da cidade.[32] Embora esta posição fosse prestigiosa, ela poderia também ser bastante onerosa e cara. Na estrutura administrativa do Império Romano tardio, o decurião era responsável por pagar o entretenimento público, a manutenção das obras públicas e, o mais importante, a coleta de impostos daqueles que viviam na área abrangida pelo

---

28 Isaías 42.25.
29 Jeremias 9.16.
30 Atos 13.47.
31 *Confession* 1, em *The Works of St. Patrick, St. Secundinus: Hymn on St. Patrick*, trad. Ludwig Bieler (1953; repr., New York: Paulist, nd), 21, alterado. Esta tradução, daqui para frente referida como Bieler, *Works of St. Patrick*, pode ser achada online em vários sites.
32 *Letter to the Soldiers of Coroticus* 10, em Bieler, *Works of St. Patrick*, 43.

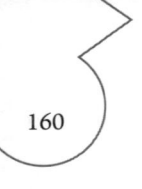

conselho. Se houvesse falta na quantidade coletada, a diferença sairia dos bolsos do próprio decurião. Alguns conselheiros de cidade procuravam, consequentemente, evitar isto e outras despesas por adquirirem a única posição no império que oferecia um status de isenção de impostos, ou seja, a posição de um diácono ordenado ou um presbítero.

Quando Constantino I se converteu, na primeiro quarto do século IV, ele garantiu entusiasticamente isenção de impostos ao clero. Mas, quando esta liberdade começou a ser abusada, foi promulgada uma lei exigindo que aqueles que desejassem ser ordenados passassem 2/3 de suas propriedades para os filhos ou parentes. Essa lei provaria, obviamente, a sinceridade do desejo de uma pessoa de ser ordenada.[33]

O fato de que Calpornius conseguiu reter sua propriedade rural diz muito a respeito de sua provável razão para tornar-se um diácono. E provê um pano de fundo para a afirmação de Patrício de que, antes de seu cativeiro na Irlanda, ele "não conhecia o verdadeiro Deus". Nas palavras de Ludwig Bieler, seu lar era "mundano em espírito, mas cristão em nome".[34]

O texto que citamos antes também nos dá uma indicação da localização do lar de Patrício: a vila de Bannavem Taburniae, ou, como E. A. Thompson e Máire B. de Paor escrevem-na, Bannaventa Berniae.[35] Infelizmente, esta vila não foi identificada. Thompson comentou que "nomes de vilas britânico-romanas que podem ser localizadas no mapa são poucas e esparsas".[36] No entanto, é muito provável que esta vila era próxima da costa ocidental da Britânia, onde ela estaria bem perto dos invasores irlandeses. A maioria dos eruditos em Patrício tendem a colocar a vila no Sul da Inglaterra, embora Alan Macquarrie tenha ar-

---

33 Esta discussão do papel do decurion no Império Romano tardio se baseia em Hanson, *Saint Patrick: His Origins and Career*, 116-18, 176-79; Hanson, *Historical Saint Patrick*, 22-23; Thompson, *Who Was Saint Patrick?*, 8-9. Ver também Freeman, *St. Patrick of Ireland*, 2-3.

34 "St. Patrick and the British Culture", em *Christianity in Britain, 300-700*, ed. M. W. Barley e R. C. Hanson (Leicester: Leicester University Press, 1968), 123. Ver também Christopher Bamford, "The Heritage of Celtic Christianity: Ecology and Holiness", em *The Celtic Consciousness*, ed. Robert O'Driscoll (Toronto: McClelland and Stewart: Dublin: Dolmen, 1981), 172.

35 Thompson, *Who Was Saint Patrick?*, 9; de Paor, *Patrick: The Pilgrim Apostle of Ireland*, 25-26.

36 Thompson, *Who Was Saint Patrick?*, 9. Em sua história recente da Irlanda, Thomas Barlett afirmou que pensa que Bannavem Taburniae seja "talvez Carlisle dos dias atuais, na fronteira anglo-escocesa". *Ireland: A History* (Cambridge: Cambridge University Press, 2010), 4.

gumentado recentemente que não há "nada na evidência que seria incoerente com o fato de que Patrício era natural do Norte da Britânia, até mesmo de áreas como Galloway ou Strathclyde, ao norte da Mulhara de Adriano".[37] Seja como for, a menção da casa de campo (*villalum*) de seu pai, que estava perto desta vila, provê uma forte evidência de que Patrício nasceu na classe mais elevada da sociedade britânico-romana e estava acostumado a riqueza e conforto.[38]

Por fim, a descrição de Patrício a respeito de si mesmo como "muito ignorante" (*rusticissimus*) é significativa. Diversas vezes em sua Confissão, Patrício lamenta o fato de que sua educação fora deficiente. Por exemplo, em Confissão 9, ele admite:

> Não estudei como os outros, que absorveram completamente a lei e a Escritura Sagrada e nunca tiveram de mudar da língua de sua infância, mas foram capazes de torná-la ainda mais perfeita. Em nosso caso, o que eu tinha a dizer precisava ser traduzido para uma língua estranha para mim, como pode ser facilmente provado pelo teor de meus escritos, que denunciam quão pouca instrução e treinamento eu tive na arte das palavras.[39]

Enquanto os contemporâneos de Patrício se tornavam cada vez mais habilidosos em seu uso do latim como ferramenta literária, ele era um escravo na Irlanda e precisava falar a língua de seus capturadores, o irlandês antigo. A sua educação no latim foi severamente restringida; e quando, mais tarde em sua vida, ele veio a escrever a *Confissão*, lutou frequentemente para se expressar com clareza.[40]

---

37 *The Saints of Scotland: Essays in Scottish Church History AD 450-1093* (Edinburgh: John Donald, 1997), 37-41. Gwyn Dawis, *A Light in the Land: Christianity in Wales 200-2000* (Bridgend, Wales: Bryntirion, 2001), 20, sugere que Patrício pode ter vindo do que hoje é o País de Gales.
38 Ver também sua afirmação em *Letter to the Soldiers of Coroticus* 10 sobre abandonar seu status aristocrata.
39 Bieler, *Works of St. Patrick*, 23. Ver também *Confession* 10, 12, 13, 46, 62; *Letter to the Soldiers of Coroticus* 1.
40 Sobre o latim de Patrício, ver Ludwig Bieler, "The Place of Saint Patrick in Latin Language and Literature", *Vigiliae Christianae* 6 (1952): 65-97; Chritine Mohrmann, *The Latin of Saint Patrick* (Dublin: Dublin Institute for Advanced Studies, 1961); Hanson, *Saint Patrick: His Origins and Career*, 158-170; Hanson e Blanc, *Saint Patrick*, 155-63.

Portanto, aos 16 anos de idade, Patrício foi violentamente separado de tudo que lhe era familiar e transportado como um escravo para a costa oeste da Irlanda. Como resultado desta experiência intensamente traumática, Patrício se voltou para Deus. Em suas próprias palavras: "Lá [na Irlanda] o Senhor abriu o senso de minha incredulidade, para que, por fim, eu lembrasse os meus pecados e fosse convertido de todo o meu coração ao Senhor, meu Deus, que teve consideração para com minha desgraça e teve misericórdia de mim em minha juventude e ignorância".[41]

Patrício prosseguiu e mencionou algo específico sobre os anos seguintes em que esteve cativo na Irlanda: sua tentativa de levar uma vida em comunhão diária com Deus.

> Depois que cheguei à Irlanda – todos os dias eu tinha de cuidar de ovelhas e orava muitas vezes durante o dia – o amor de Deus e o seu temor vieram sobre mim cada vez mais; e minha fé se fortaleceu. E meu espírito era movido de tal modo, que em um único dia eu faria centenas de orações e quase o mesmo tanto à noite; e fazia isso mesmo quando estava nas florestas ou nas montanhas. Eu costumava levantar para oração antes da luz do dia, em neve, em frio, em chuva; e não sentia qualquer dano, nem tinha qualquer preguiça – como vejo agora, porque o Espírito em mim era fervoroso.[42]

Parece que Patrício foi levado cativo ao que hoje seria o noroeste da Irlanda porque ele diz que não estava muito distante do "Mar Ocidental", ou seja, o Atlântico.[43] Depois de seis anos de cativeiro, Patrício conseguiu escapar e, por fim, voltou à sua família, na Britânia. O período que se passou entre seu retorno à Britânia e sua volta à Irlanda como missionário é obscuro. Sabemos realmente que neste período Patrício teve um sonho impressionante em que

---

41 *Confession* 2, em Bieler, *Works of St. Patrick*, 21.
42 *Confession* 16, em Bieler, *Works of St. Patrick*, 25. Sobre o contraste entre a oração cristã achada nesta descrição da piedade de Patrício e a oração do paganismo romano e céltico, ver Freeman, *St. Patrick of Ireland*, 29-30.
43 *Confession* 23.

sentiu uma chamada para retornar à Irlanda para trabalhar entre as pessoas que o escravizaram.[44] Foi também durante este tempo que ele pode ter recebido algum treinamento teológico formal em preparação para a ordenação como diácono. Patrício pode ter ido à Gália para receber esse treinamento, mas não há indicação de que ele visitou pessoalmente qualquer outra parte do império ou de que ele foi comissionado pela igreja de Roma.[45] No decorrer desta preparação, ele se tornou familiar com a Bíblia em latim, de tal modo que Christine Mohrmann o descreveu como um "homem *unius libri*" ("um homem de um único livro").[46]

No final deste período, ou seja, por volta de 432, Patrício partiu para o lugar da Irlanda em que ele fora levado cativo. Ele nunca mais retornaria à Britânia. Como ele escreveu em sua *Confissão* 43:

> Portanto, ainda que eu desejei partir... e ir para a Britânia – e como eu teria amado ir para meu país e meus parentes, bem como para a Gália, a fim de visitar meus irmãos e ver a face dos santos de meu Senhor! O Senhor sabe quanto desejei isso; mas eu estou preso pelo Espírito,[47] que dá evidência contra mim se eu fizer isso, dizendo-me que serei culpado. E tenho medo de perder o labor que comecei – não, não eu, mas Cristo, o Senhor, que me ordenou vir e permanecer com eles pelo resto de minha vida, se o Senhor quiser![48]

E, em outro texto da mesma obra, ele afirmou:

> Eu vim ao povo da Irlanda para pregar o evangelho, sofrer insulto dos incrédulos, suportando o opróbrio de minha ida para outra terra e muitas perseguições, até algemas, e dar minha liberdade em bene-

---

44 *Confession* 23-24.
45 Pace McKay, Hill e Buckler, *History of Western Society*, 201.
46 Mohrmann, *Latin of Saint Patrick*, 8. Quanto à devoção de Patrício às Escrituras, ver Hanson, *Historical Saint Patrick*, 44-47.
47 Cf. Atos 20.22.
48 *Confession* 43, em Bieler, *Works of St. Patrick*, 35.

fício de outros. E, se eu for digno, estou preparado a dar até a minha vida, sem hesitação e com muita alegria, pelo nome dele; aqui eu desejo viver até que morra, se o Senhor me permitir.[49]

Estes textos revelam um homem que tinha profunda certeza da vontade de Deus para sua vida: viver seus dias na Irlanda, para que os irlandeses viessem a conhecer a Deus, como ele conhecera. No primeiro texto, ele disse que tinha de fazer isso porque estava "preso pelo Espírito". Esta expressão "preso pelo Espírito" é extraída de Atos 20.22, onde o apóstolo Paulo disse aos presbíteros efésios que ele estava "constrangido pelo Espírito" para ir a Jerusalém, apesar da probabilidade de que lá experimentaria muito sofrimento. O apóstolo Paulo estava comprometido com o que ele entendia ser a vontade de Deus, não importando o custo. A implicação clara no uso desta expressão por Patrício é que ele compartilhava da atitude e da profundeza de comprometimento de Paulo.

Deve ser observado que os escritos de Patrício mostram a convicção de que sua atividade evangelística deveria ser um dos eventos finais da história. Ele escreveu:

> Tenho de aceitar com equanimidade o que me sobrevier, seja bom, seja mau, e dar sempre graças a Deus, que me ensinou a confiar nele sempre, sem hesitação, e que deve ter ouvido minha oração no sentido de que, embora sendo eu ignorante, nos últimos dias ousei empreender essa obra tão santa e maravilhosa – imitando, assim, de algum modo, aqueles que, como o Senhor predisse certa vez, pregariam o seu evangelho "para testemunho a todas as nações".[50] Assim o temos visto e, assim, tem-se cumprido. De fato, somos testemunhas de que o evangelho tem sido pregado naqueles lugares além dos quais não vive ninguém.[51]

---

49 *Confession* 37, em Bieler, *Works of St. Patrick*, 32.
50 Ver Mateus 24.14.
51 *Confession* 34, em Bieler, *Works of St. Patrick*, 32.

Este texto se encaixa bem com a experiência de uma pessoa para quem a desintegração do poder imperial romano era uma realidade viva e que, como outros cristãos da época, consideravam esse evento como um sinal do fim do mundo.[52] E se ajusta bem a um homem que fora criado com a perspectiva romana típica de que além das praias da Irlanda havia apenas oceano. Como R. P. C. Hanson diz: "Para um homem da antiguidade clássica, [a Irlanda] era literalmente o último país da terra. Era o país mais ocidental na Europa; além dele, não havia nada".[53] Na mente de Patrício, ele recebera o elevado privilégio de pregar o cristianismo a, literalmente, a última nação a ser evangelizada".[54]

O percurso de suas viagens na Irlanda não é esclarecido em sua *Confissão*, mas foi provavelmente restrito à metade norte da ilha.[55] Em termos humanos, seu ministério foi extremamente bem sucedido, embora ele não tenha evangelizado todo o Norte da Irlanda até ao tempo de sua morte, que aconteceu não muito depois de escrever sua *Confissão*. Como ele afirmou quase ao final de sua Confissão: "Esta é a minha confissão, antes de eu morrer".[56]

Seus dias finais foram cheios de problemas. Como veremos, houve aqueles que se opuseram à sua missão na Irlanda. Apesar do sucesso evidente do ministério de Patrício, esta oposição não desapareceu, mas parece ter-se tornado mais vocal com o passar dos anos. Acusaram-no especialmente de ter realizado a missão à Irlanda com o mais desprezível vil dos motivos, ou seja, ganho financeiro. A *Confissão*, de Patrício, foi escrita para acabar, de uma vez por todas, com essas críticas e acusações.[57]

---

52 Assim, Hanson, *Saint Patrick: His Origins and Career*, 184-85, 201; Leslie Hardinge, *The Celtic Church in Britain* (London: S.C.K., 1972), 71-72; John T. McNeill, *The Celtic Churches: A History A.D. 200 to 1200* (Chicago: University of Chicago Press, 1974), 59; Pace Bieler, *Works of St. Patrick*, 87, n. 81.
53 Hanson, *Historical Saint Patrick*, 23.
54 Freeman, *St. Patrick of Ireland*, 119-25.
55 Macquarrie, *Saints of Scotland*, 40-41.
56 *Confession* 34, em Bieler, *Works of St. Patrick*, 40. Ver também Thompson, *Who Was Saint Patrick?*, 84-85.
57 Thompson, *Who Was Saint Patrick?*, 144-46; de Paor, *Patrick: The Pilgrim Apostle of Ireland*, 145-52; Freeman, *St. Patrick of Ireland*, 142-49.

UMA PAIXÃO MISSIONÁRIA

Depois da morte de Patrício nos anos 460, um silêncio total reinou na tradição cristã irlandesa até aos anos 630, quando ele foi mencionado por Cummian (morreu em cerca de 661/662), abade de Durrow. Em uma carta dirigida a Segene, abade de Iona, Cummian descreve Patrício como o "santo Patrício, nosso pai".[58] Mas o silêncio até ao tempo da carta de Cummian não deve ser tomado no sentido de que Patrício foi esquecido. Suas obras, *Confissão* e *Carta aos Soldados de Coroticus*, eram estimadas, foram copiadas e transmitidas. Além disso, seus labores missionários plantaram firmemente a fé cristã no solo irlandês e deixaram uma impressão profunda na igreja céltica que cresceria neste solo.

Patrício fala de "milhares" convertidos por meio de seu ministério,[59] incluindo filhos e filhas de reis irlandeses.[60] Eles foram convertidos, nos diz Patrício, da adoração de "ídolos e coisas impuras".[61] Vale a pena ressaltar que ele fala das práticas de adoração do paganismo celta com "desgosto e zombaria".[62] A fim de aumentar o âmbito de sua influência, ele ordenou "clérigos por toda parte".[63] Patrício nunca perdeu de vista o fato de que, foi a graça de Deus que esteve por trás de cada sucesso de sua missão. "Sou muito devedor a Deus", ele confessou alegremente, "que me deu tão grande graça de que pessoas foram renascidas em Deus por meu intermédio".[64]

No entanto, os seus labores missionários não se realizaram sem forte oposição, presumivelmente de forças pagãs na Irlanda. Em uma seção de sua *Confissão*, Patrício diz: "Diariamente, espero assassinato, fraude ou cativeiro".[65] Ele menciona duas ocasiões distintas de cativeiro: uma, por dois meses, e a ou-

---

58 Citado por Hanson, *Saint Patrick: His Origins and Career*, 66.
59 *Confession* 14, 50; ver também *Confession* 38; *Letter to the Soldiers of Coroticus* 2.
60 *Confession* 41-42.
61 *Confession* 41.
62 Hanson, *Historical Saint Patrick*, 111.
63 *Confession* 38, 40, 50.
64 *Confession* 38, em Bieler, *Works of St. Patrick*, 32.
65 *Confession* 55, em Bieler, *Works of St. Patrick*, 38.

tra, por duas semanas.⁶⁶ Também relata que esteve em perigo de morte "doze" vezes, embora não dê os detalhes destas, para não ser entediante ao leitor!⁶⁷ A reação de Patrício a esses perigos revela o verdadeiro caráter do homem: "Não temia nenhuma destas coisas, por causa das promessas do céu. Lancei-me às mãos do Deus todo-poderoso, que governa todos os lugares, como diz o profeta: 'Confia os teus cuidados ao SENHOR, e ele te susterá'".⁶⁸

Houve não somente oposições externas. Muitos dos cristãos contemporâneos de Patrício, no Império Romano do Ocidente, parecem ter dado pouca importância à evangelização de seus vizinhos bárbaros. Como Máire B. de Paor observa: "Aparentemente, não havia nenhum esforço concentrado e organizado para ir e converter os pagãos além dos confins do Império Romano do Ocidente", durante o crepúsculo do governo romano no Ocidente.⁶⁹ Não importando a razão para essa falta de esforço missionário, a missão de Patrício à Irlanda permanece como um esplêndido caso isolado. Como Thompson observa, o que achamos na *Confissão* é parágrafo após parágrafo sobre este assunto, evidenciando a singularidade de Patrício em sua época.⁷⁰

Portanto, quando Patrício anunciou, na Britânia, sua intenção de empreender uma missão aos irlandeses, houve aqueles que se lhe opuseram fortemente. "Muitos tentaram impedir esta minha missão", Patrício recordou. "Eles até falavam uns com os outros por trás de mim e diziam: 'Por que este homem se lança em perigo entre inimigos que não têm conhecimento de Deus?'"⁷¹ Assim, Patrício foi assegurado da certeza de sua atividade missionária na Irlanda. Ele sabia que era chamado pessoalmente a evangelizar a Irlanda.⁷² Também tinha um profundo senso de gratidão a Deus pelo que Deus fizera por meio dele. "Não posso ficar em silêncio", ele declarou, "sobre os grandes benefícios que o Senhor condescendeu em outorgar-me na terra de

---

66 *Confession* 21, 52.
67 *Confession* 35.
68 *Confession* 55, em Bieler, *Works of St. Patrick*, 38.
69 Patrick: *The Pilgrim Apostle of Ireland*, 33-24.
70 Thompson, *Who Was Saint Patrick?*, 82-83.
71 *Confession* 46, em Bieler, *Works of St. Patrick*, 36.
72 Ver *Confession* 23.

meu cativeiro; a isto podemos dar em retorno a Deus, depois de termos sido disciplinados por ele, exaltar e louvar suas maravilhas diante de cada nação que está em qualquer lugar debaixo do céu".[73]

Acima de tudo, Patrício tinha um entendimento detalhado do que a Escritura ensina com clareza sobre missões.

> Devemos pescar bem e diligentemente, como o Senhor exorta e ensina de antemão: "Vinde após mim, e eu vos farei pescadores de homens".[74] E, outra vez, ele diz por meio dos profetas: "Eis que mandarei muitos pescadores e caçadores, diz Deus",[75] e assim por diante. Por isso, era necessário espalhar nossas redes para que uma grande multidão e aglomeração fosse apanhada para Deus e houvesse clérigos em todos os lugares, para batizar e exortar as pessoas em carência e necessidade, como o Senhor afirma, exorta e ensina nos evangelhos, dizendo: "Ide, portanto, fazei discípulos de todas as nações, batizando-os em nome do Pai, e do Filho, e do Espírito Santo; ensinando-os a guardar todas as coisas que vos tenho ordenado. E eis que estou convosco todos os dias até à consumação do século".[76] De novo, ele diz: "Ide por todo o mundo e pregai o evangelho a toda criatura. Quem crer e for batizado será salvo; quem, porém, não crer será condenado".[77] E outra vez: "Será pregado este evangelho do reino por todo o mundo, para testemunho a todas as nações. Então, virá o fim".[78] E assim, também, o Senhor anuncia por meio do profeta, dizendo: "Acontecerá nos últimos dias, diz o Senhor, que derramarei do meu Espírito sobre toda a carne; vossos filhos e vossas filhas profetizarão, vossos jovens terão visões, e sonharão vossos velhos; até

---

73 *Confession* 3, em Bieler, *Works of St. Patrick*, 21-22.
74 Mateus 4.19.
75 Jeremias 16.16.
76 Mateus 28.19-20.
77 Marcos 16.15-16.
78 Mateus 24.14.

sobre os meus servos e sobre as minhas servas derramarei do meu Espírito naqueles dias, e profetizarão".[79] E, em Oséias, ele diz: "Chamarei povo meu ao que não era meu povo; e amada, à que não era amada; e no lugar em que se lhes disse: Vós não sois meu povo, ali mesmo serão chamados filhos do Deus vivo".[80]

Finalmente, precisamos comentar que foi a fé no Deus trino que, em última análise, levou Patrício de volta à Irlanda e o manteve ali. Foi por esta fé que ele esteve "preso no Espírito". Era esta fé que ele anelava passar aos irlandeses. Como ele escreveu em *Confissão* 14, unindo a fé à Trindade e a missão:

> À luz, portanto, de nossa fé na Trindade, tenho de fazer esta escolha: apesar do perigo, tenho de fazer conhecido o dom de Deus e a eterna consolação, sem temor; e, com franqueza, tenho de propagar em todo lugar o nome de Deus, para que, depois de minha partida, eu possa deixar um legado para meus irmãos e filhos que batizei no Senhor – muitos milhares de pessoas.[81]

A IGREJA CELTA

A igreja celta herdaria o zelo missionário de Patrício. Seus descendentes espirituais, homens como Columba (c. 521-597), Columbanus (c. 543-615) e Aidan (morreu em 651) beberam profundamente do poço do fervor missionário de Patrício, de modo que a igreja celta se tornou, nas palavras de James Carney, "um reservatório de vigor espiritual, que... tornaria frutíferas as terras áridas da Europa Ocidental".[82] Como Diarmuid Ó Laoghaire observa, certamente não é coincidência que o que era proeminente

---

79 Atos 2.17-18, citando Joel 2.28-29.
80 *Confession* 40, em Bieler, *Works of St. Patrick*, 33-34, alterado. A citação final é de Romanos 9.25-25, citando Oséias 1.10; 2.1, 23.
81 *Confession* 14, em Bieler, *Works of St. Patrício*, 24.
82 "Sedulius Scottus", em *Old Ireland*, ed. Robert McNally (New York: Fordham University Press, 1965), 230.

na vida de Patrício foi reproduzido na vida de seus herdeiros.[83] Durante os séculos VI e VII, os cristão celtas evangelizaram as ilhas britânicas, a Gália e a Europa Central com uma paixão que se equiparava a de Patrício, o fundador deste grupo de igrejas.

Os cristãos celtas herdeiros de Patrício também herdaram sua rica espiritualidade trinitária, que, diferentemente de sua paixão missionária, foi central para o cristianismo latino na antiguidade tardia. Perto do início da *Confissão*, Patrício apresenta um resumo da essência de sua fé em Deus.

> Não há outro Deus, nunca houve, nunca haverá, senão Deus, o Pai, não gerado, sem começo, que é a fonte de tudo, o Senhor do universo, como temos sido ensinados; e seu Filho, Jesus Cristo, que declaramos ter sempre estado com o Pai, gerado espiritualmente e inefavelmente pelo Pai, antes do começo do mundo, antes de todo o começo; e, por meio dele, todas as coisas foram criadas, as visíveis e as invisíveis. Ele se tornou homem e, tendo derrotado a morte, foi recebido no céu pelo Pai; e "Deus lhe deu todo poder sobre todos os nomes, nos céus, na terra e debaixo da terra, e toda língua confesse que Jesus Cristo é Senhor e Deus",[84] em quem cremos e cujo advento esperamos seja em breve, "juiz de vivos e de mortos",[85] que dará a cada homem segundo as suas obras; e ele "derramou ricamente sobre nós o Espírito Santo",[86] o "dom" e "penhor"[87] da imortalidade, que torna aqueles que creem e obedecem "filhos de Deus... e coerdeiros com Cristo";[88] e a ele confessamos e adoramos, o único Deus na Trindade do Nome Santo[89].

---

83 "Old Ireland and Her Spirituality" em McNally, *Old Ireland*, 33.
84 Filipenses 2.9-10.
85 Atos 10.42.
86 Tito 3.6.
87 Cf. Atos 2.38; Efésios 1.14.
88 Romanos 8.16-17.
89 *Confession* 4, em Bieler, *Works of St. Patrick*, 21.

Uma antiga oração irlandesa, *The Breastplate of Patrick* (O Peitoral de Patrício), embora tenha sido escrita muito provavelmente no século seguinte à morte de Patrício, é um excelente exemplo da maneira como a fé trinitária de Patrício foi transmitida. Em seu refrão inicial e final, ela declara:

> *Eu me levanto hoje*
> *Com um poderoso poder, invocando a Trindade,*
> *Com uma crença na triplicidade,*
> *Com uma fé na unicidade*
> *Do Criador da criação.*[90]

A afirmação em forma de credo citada antes é o único lugar na *Confissão* em que podemos ter certeza de que Patrício se referiu a outra obra além da Bíblia em latim. O latim da primeira metade deste credo tem o "equilíbrio e cadência do que passava por estilo elegante na antiguidade tardia", sendo evidentemente uma composição não do próprio Patrício. E, embora a segunda metade do credo esteja cheia de citação e alusão bíblica, também possui cadência regular.[91] É muito provável que Patrício reproduziu nesta passagem uma regra de fé usada na igreja britânica para instruir os novos crentes nos elementos essenciais da fé cristã.[92]

Hanson investigou a fonte do credo de Patrício e argumentou convincentemente que ele procede, em essência, de um credo achado nos escritos de Vitorino de Petau (morreu em 340), que foi um mártir na perseguição de Diocleciano. Certas adições foram feitas ao credo de Vitorino à luz das controvérsias trinitárias do século IV.[93]

A citação anterior do bibliocentrismo de Patrício nos traz a um aspecto final do legado de Patrício à igreja celta. Seu cristianismo é "muito mais uma

---

90 Trad. Freeman, *St. Patrick of Ireland*, 161, 164.
91 D. R. Bradley, "The Doctrinal Formula of Patrick", *The Journal of Theological Studies* 33 (1982): 124-33.
92 Hanson, *Historical Saint Patrick*, 79, 81; Bradley, "Doctrinal Formula of Patrick", 133.
93 "Witness for St. Patrick to the Creed of 381", *Analecta Bollandiana* 101 (1983): 297-99.

religião do livro", ou seja, a Bíblia em latim.[94] Devido ao lugar central que a Bíblia ocupava no pensamento de Patrício, não é surpreendente que o sucesso de sua missão tenha ajudado a iniciar entre os irlandeses um ímpeto para com o letramento. De fato, este ímpeto foi tão profundo que, por volta do século VII, os irlandeses tinham se tornado os principais participantes num dos aspectos-chave do cristianismo romano da antiguidade tardia: "letramento centrado na Bíblia".[95]

Estes são alguns dos principais aspectos do legado de longo alcance da missão de Patrício, que teve de ir à Irlanda para transmitir a sua fé no "Único Deus na Trindade do Nome Santo" aos irlandeses. Sua *Confissão* revela uma personalidade transparente: um evangelista zeloso e um pastor amável que se mostrou disposto a ser um estrangeiro na Irlanda, que não era sua terra, para que homens e mulheres irlandeses chegassem a conhecer o Salvador. Vale a pena ressaltar que Patrício "colocou em primeiro lugar, no seu pensamento e ensino, a grande mensagem central do amor de Deus, do ato redentor de Deus em Cristo, a chamada de homens a responderem a isto com fé e amor, bem como a presença do Espírito na igreja agora, tornando este amor e esta redenção uma realidade para aqueles que creem e obedecem".[96]

---

94 Joseph F. T. Kelly, "Christianity and the Latin Tradition in Early Medieval Ireland", *Bulletin of the John Rylands University Library of Manchester* 68, n. 2 (Spring 1986): 411; Hanson, *Historical Saint Patrick*, 44-47.
95 Kelly, "Christianity and the Latin Tradition", 417.
96 Hanson, *Saint Patrick: His Origins and Career*, 203.

CAPÍTULO 8

ΙΧΘΥC

Andando com os Pais da Igreja

Meus Primeiros Passos em uma Jornada Vitalícia

PRIMEIRO ENCONTRO

Como outros alunos de primeiro ano de teologia, encontrei-me pela primeira vez com os pais da igreja por meio de um curso de pesquisa sobre história da igreja. O curso foi oferecido no primeiro ano de meus estudos no Wycliffe College, associado à Universidade de Toronto. Visto que o Wycliffe College era uma parte da Escola de Teologia de Toronto, todos os alunos do primeiro ano das instituições membros da Escola de Teologia de Toronto faziam o curso de pesquisa. Nosso livro-texto para a seção que lidava com a igreja antiga era a densa obra de Henry Chadwick, *The Early Church* (A Igreja

Primitiva – 1967). Esta foi a minha primeira exposição real aos pais, e eu não poderia ter tido um guia melhor. Isto, juntamente com uma prazerosa experiência no aprendizado de grego no primeiro ano, lançou os alicerces para o que seria um interesse fervoroso em patrística.

Meu primeiro encontro íntimo com os pais se deu por meio de um artigo a mim designado pelo Dr. Jakób Jocz (1906-1983), na primavera de 1975. Eu estava na metade de meu primeiro ano do programa de mestrado em religião, e, sendo um cristão jovem, menos do que um ano na fé, eu tinha certo temor do Dr. Jocz, uma terceira geração de cristãos hebreus da Lituânia, que era um erudito profundo e um homem que conhecia seu Deus. Quando ele me pediu que examinasse a obra *Sobre a Trindade*, de Novaciano, e sua relação com a Bíblia e a filosofia grega – ele conhecia minha formação em filosofia – quem era eu para argumentar? Eu não sabia nada sobre o cismador do século II ou sobre seu estudo trinitariano, mas, a partir daquele momento, fiquei preso aos pais.

ACHANDO UM MENTOR NOS PAIS: JOHN EGAN

Em meu segundo ano, fiz meu primeiro curso em patrística. Foi ministrado pelo Dr. John Egan (1932-1999), um dos mais instruídos estudantes da igreja antiga que já conheci, que logo se tornou meu mentor nos pais. Sendo de descendência irlandesa, John havia ingressado na Sociedade de Jesus quanto tinha 18 anos e estudara, subsequentemente, literatura e filosofia clássica em St. Louis University. Foi esse estudo nos clássicos que lhe deu uma excelente compreensão das nuanças linguísticas tanto do grego como do latim. Depois de um período de estudos em Roma, ele foi para o Instituto Católico de Paris, onde completou sua tese de doutorado em 1971 sobre "O conhecimento e a visão de Deus de acordo com Gregório de Nazianzo: um estudo das figuras de espelho e luz", sob a orientação do Dr. Charles Kannengiesser, um perito em Atanásio e exegese patrística, na Sorbonne, em Paris. Este interesse doutoral nos escritos de Gregório de Nazianzo – ou, como John gostava de se referir a ele, Greg Naz – foi o começo de uma fascinação vitalícia por este autor cristão em particular. John tinha uma boa compreensão das outras figuras importantes da tradição patrística grega e podia escrever sobre eles, mas o pensamento teológico dos sermões e poemas de Gregório se tornaram sua área de estudo especial.

Durante os anos 1980 e 1990, ele deu considerável número de ensaios sobre a teologia de Gregório em conferências realizadas pela Sociedade Canadense de Estudos Patrísticos e pela Sociedade Norte-Americana de Patrística, bem como nas Conferência Patrísticas de Oxford. Duas áreas, em específico, ocuparam a atenção de John: as reflexões de Gregório de Nazianzo sobre o significado da cruz e seu pensamento sobre a Trindade. Em sua análise da exegese de Gregório referente a Salmos 21.2 (na Septuaginta), o clamor do abandono de Cristo, John não teve medo de ressaltar certas inconveniências na abordagem de Gregório quanto à humanidade de Cristo. Alguns ensaios também abordaram o uso que este autor grego fez das várias maneiras para descrever a morte de Cristo, em períodos diferentes em sua carreira: a "teoria do resgate", o famoso engano do Diabo, a ideia da cruz como um sacrifício expiatório e o tema de Cristo Vitorioso.[1]

O estudo de John sobre o pensamento trinitariano de Gregório e sobre a linguagem que vestia esse pensamento produziu uma série de ensaios fascinantes.[2] Dois destes ensaios, lidando com a figura da luz, desenvolveram ideias que tinham claramente suas raízes na tese de John. Estes ensaios centralizavam-se em um dos principais assuntos do trinitarianismo patrístico: como pode o Pai ser considerado a "causa primária" dos dois outros membros da Divindade e, apesar disso, a igualdade essencial e eterna dos três membros da Divindade ser mantida? John acreditava que Gregório de Nazianzo foi capaz

---

1 Ver, por exemplo, "Gregory Nazianzen's Exegesis of Psalm 21.20 (LXX) in his *Oration* 30.5: Some Value Judgments" (ensaio não publicado); "The Deceit of the Devil according to Gregory Nazianzen", *Studia Patristica*, ed. Elizabeth A. Livingstone (Louvain: Peeters, 1989), 22:8-13.

2 Ver, por exemplo, "Towards a Mysticism of Light in Gregory Nazianzen's *Oration* 32.15", em *Studia Patristica*, ed. Elizabeth A. Livingstone (Louvain: Peeters, 1989), 28/3:473-81; "Primal Cause and Trinitarian Perichoresis in Gregory Nazianzen's *Oration* 31.14, em *Studia Patristica*, ed. Elizabeth A. Livingstone (Louvain: Peeters, 1993), 27:21-28; "Toward Trinitarian *Perichoresis*: Saint Gregory the Theologian, Oration 31.14", *The Greek Orthodox Theological Review* 39 (1994): 83-89; "αιτιον/'Author', αιτια/'Cause' and αρχη/'Origin': Synonyms in Selected Texts of Gregory Nazianzen", em *Studia Patristica*, ed. Elizabeth A. Livingstone (Louvain: Peeters, 1997), 32:102-7.

de equilibrar ambas as ideias, visto que, para ele, tanto "a geração como as relações recíprocas são a ordem dinâmica que constituem a Trindade".

O deleite de John nos pais estava profundamente arraigado no fato de que o pensamento destes antigos gigantes da igreja cristã era central à sua própria fé. Em específico, suspeito que o amor de John pelos escritos de Gregório de Nazianzo estava ligado, em parte, ao fato de que ajudaram a mostrar para John aquele de quem Gregório nunca se cansava de falar, ou seja, o Deus trino.

Sempre agradecerei a Deus pelo fato de que tive o grande privilégio de ter este homem dotado como meu primeiro mentor no estudo dos pais da igreja. O curso que recebi dele em 1976 foi sobre o conhecimento de Deus nos pais latinos e gregos dos séculos III e IV. O foco de John nas fontes primárias e os rigorosos métodos de estudo abriram as vastas riquezas da literatura patrística. Depois, fiz outros cursos com John: em antropologia teológica patrística, em cristologia dos pais, e cursos de leitura em Clemente de Alexandria, Orígenes e seu teólogo favorito, Gregório de Nazianzo.

OUTROS ENCONTROS COM OS PAIS

Durante estes anos de meu curso de mestrado, aproveitei cada oportunidade para aprofundar-me nos Pais. Por exemplo, quando minha mãe, Teresa V. Haykin (1933-1976), faleceu, decidi escrever um ensaio sobre ao conceito de Irineu quanto à visão beatífica para um curso ensinado por Eugene R. Fairweather (1921-2002), do Trinity College, na época. O professor Fairweather era um homem notável, um talentoso em muitas maneiras e um deleite para se ouvir como palestrante. Ele tinha excentricidades distintas, uma das quais era o hábito de não devolver aos alunos os ensaios e, eventualmente, não atribuir notas aos alunos em seus cursos! Felizmente, ele devolveu meu ensaio sobre Irineu e deu-me uma nota que foi devidamente encaminhada aos registros de minha faculdade original, Wycliffe. Ele escreveu no final do ensaio: "Espero que você planeje fazer estudos posteriores em Patrística". Sem dúvida, isso foi um encorajamento que me ajudou a determinar a direção de minha carreira acadêmica. Entretanto, o mais importante para mim naquela ocasião foi a maneira como o ponto de vista de Irineu sobre o futuro foi um conforto para mim depois da morte de minha mãe.

Central à visão escatológica de Irineu é o fato central de que o Espírito Santo é a "escada para ascendermos a Deus".[3] O Espírito Santo capacita os redimidos a ascenderem à visão de Deus primeiramente

> Por preparar a humanidade no Filho de Deus, o Filho, então, leva a humanidade ao Pai, e o Pai outorga incorrupção para a vida eterna, que vem a cada um como resultado de ver a Deus. Assim como aqueles que veem a luz estão na luz e compartilham de seu esplendor, assim acontece com aqueles que veem a Deus: eles estão em Deus e compartilham de seu esplendor. O esplendor lhes dá vida; e aqueles que veem a Deus se apropriam da vida.[4]

A divisão entre o Criador e a criatura não é violada, mas homens e mulheres compreendem finalmente o propósito de sua criação: glorificarem a Deus e serem tão cheios dessa glória, que se tornam reflexões brilhantes dela. Isto é realmente vida.

Então, quando tive oportunidades de liderar as reuniões de oração matinais ou vespertinas na capela do Wycliffe College, os Pais eram frequentemente proveitosos. Muitas vezes, eu apresentaria uma homilia baseada em uma das leituras de lecionários. Quando fazia isso, a exegese dos Pais sobre a leitura específica que eu escolhera para comentar apareceria. Por exemplo, em uma homilia sobre Marcos 8.31 que apresentei em 22 de março de 1979, usei uma passagem da epístola de Clemente de Roma (influente em 90-100) para lembrar a maneira como a igreja primitiva via o apóstolo Paulo como um modelo de discipulado. Uma homilia sobre 1 Reis 22.1-28, apresentada na capela em 5 de outubro de 1979, se referia à explicação de Teodoreto de Cirro (c. 393-457) sobre esta passagem, que eu achei fazia justiça ao texto.

---

3 *Against the Heresies* 3.24.1, em *The Holy Spirit*, trad. L. Patout Burns e Gerald M. Fagin, Message of the Fathers of the Church 3 (Wilmington, DE: Michael Glazer, 1984), 36.
4 *Against the Heresies* 4.20.5-6 (tradução minha).

OS PAIS CELTAS

Quando cheguei para fazer doutorado na Escola de Teologia de Toronto e na Universidade de Toronto, em 1977, não tinha qualquer dúvida sobre a área geral: seria em história da igreja e, especificamente, em Patrística. No programa de doutorado em história da igreja naquele tempo, os únicos cursos que alguém precisava fazer eram aqueles que a comissão de tese da pessoa decidiam que seriam proveitosos na preparação para os exames abrangentes. Exigiram que eu fizesse um curso adicional para preparação nos idiomas alemão e latim; e este foi um curso em historiografia ministrado por Cyril Powles (1918-). Houve um ensaio principal exigido no curso, e eu escolhi fazer a meu ensaio sobre o Venerável Beda (672-735), que, de modo geral, eu considerava o término da era patrística no Ocidente.[5] Examinei a descrição de Beda sobre Wilfrid de York (c. 634-c. 709) em sua obra monumental *História da Igreja*. Isto coincidiu com um interesse crescente na igreja celta, um interesse que nunca perdi.

Em certo nível, suponho que este interesse tem sua origem no fato de eu ter sido criado em uma família irlandesa. Mas também achei algo puro no testemunho de homens como Patrício, Columba e Aidan de Lindisfarne. Eles tinham amor pelas Escrituras e paixão por missões que são verdadeiramente exemplares. No entanto, precisamos ressaltar que o cristianismo celta tinha seus problemas. Por exemplo, o tipo de ascetismo eremita que estava associado com as primeiras gerações de monges no Egito e Síria não era incomum na Irlanda e outros centros de cristianismo celta. Felizmente, meus estudos de doutorado enfatizavam a importância de uma leitura diligente das fontes primárias para entender uma era. Esta metodologia me ajudou a evitar a romantização da igreja celta que tem acontecido em anos recentes e produzido nos crentes uma variedade de interesses contemporâneos que têm poucas raízes históricas na era dos cristãos celtas.[6]

---

5 Nisto, eu diferiria do ponto de vista mencionado no capítulo 1, de que Isidoro de Sevilha marca o fim da era patrística no Ocidente.

6 Ver especialmente Donald E. Meek, *The Quest for Celtic Christianity* (Edinburgh: Handsel, 2000). Ver também a visão geral de Gwyn Davies, *A Light in the Land: Christianity in Wales 200-2000* (Bridgend, Wales: Bryntirion, 2002), 19-27.

ESTUDOS DE DOUTORADO SOBRE ATANÁSIO E BASÍLIO

Quando comecei meus estudos de doutorado, a Escola de Teologia de Toronto e a Universidade de Toronto foram abençoadas com alguns notáveis eruditos em Patrística, incluindo Joanne McWilliam (morreu em 2008), John M. Rist e Timothy D. Barnes. Especialmente influente em meus estudos foi Paul J. Fedwick, que era professor de Patrística no St. Michael College e especialista em Basílio de Cesareia. A dedicação de Fedwick ao estudo de Basílio produziu ricos frutos em sua obra *Bibliotheca Basiliana Universalis* (1993-2010), de dez volumes. Foi um privilégio ter o Dr. Fedwick como um dos leitores de minha teses quando a terminei em 1982.

A grande influência de meus estudos de doutorado foi, sem dúvida, John Egan, meu *doktorvater*. Entre o outono de 1979 e o fim de 1981, eu me reunia semanalmente com John para discutir meu trabalho sobre a pneumatologia de Atanásio e Basílio. John me ensinou como ler os escritos deles com sensibilidade e perceber pressuposições que moldaram seu pensamento e sua reflexão sobre a Escritura. Minha tese procurava discernir a maneira em que a Escritura havia moldado a resposta de Atanásio e de Basílio à negação pneumatoquiana da deidade do Espírito Santo. Fui convencido, e ainda sou, de que a Escritura era o fundamento central dos debates sobre o Espírito, não política, não filosofia. Mas também fui persuadido de que os aspectos específicos do entendimento da Bíblia pelos Pais neste debate foram moldados pelas perguntas que eles trouxeram ao texto bíblico. Nisto, procurei tomar com seriedade o fato de que em toda interpretação bíblica há sempre dois horizontes de interpretação: o da Escritura e o do intérprete ou exegeta.[7] Isto não significa que todas as interpretações são igualmente válidas. Apenas reconhece que todo ato de interpretação é, desde o início do processo de exegese, influenciado pelas perguntas que são feitas ao texto, perguntas que são determinadas em algum grau pela situação existencial do

---

[7] Ver Anthony C. Thisleton, *The Two Horizons: New Testament Hermeneutics and Philosophical Description with Special Reference to Heidegger, Bultmann, Gadamer, and Wittgenstein* (Exeter: Paternoster; Grand Rapids: Eerdmans, 1980).

intérprete. Se o exegeta permite que seu contexto faça perguntas que distorcem a mensagem do texto bíblico que ele está interpretando, o texto bíblico ainda permanece ali esperando pelo intérprete que lhe fará as perguntas que resultarão numa interpretação mais verdadeira.

No caso da controvérsia pneumatoquiana, eu não acreditava, e ainda não acredito, que Atanásio ou Basílio distorceram, com suas perguntas, o testemunho bíblico sobre o Espírito. As Escrituras contêm um trinitarianismo implícito que resplandece aqui e ali (em passagens como 1 Coríntios 12.4-6 e 2 Coríntios 13.14). O fazer perguntas às Escrituras por parte desses dois teólogos ortodoxos ajudou a revelar o que a igreja sabia instintivamente nos séculos de adoração e proclamação antes da controvérsia ariana.[8]

Um evento significativo de minha luta com a exegese de Atanásio e Basílio foi uma conferência que celebrou os 1.600 anos da morte de Basílio. Organizada por Paul Fedwick, especialista em Basílio, ela foi realizada na Universidade de Toronto, no St. Michael's College, em 10 a 16 de junho de 1979. Aconteceu perto do começo de minha tese e teve um impacto decisivo em moldar meu pensamento. Embora ocorrida há mais de 30 anos, a alegria e o privilégio de ouvir alguns dos mais excelentes eruditos em Patrística, vivos na época, ainda permanecem comigo. Entre as apresentações memoráveis, houve a do monge Jean Gribomont (1920-1986), cujo ensaio, intitulado "Notas biográficas sobre S. Basílio, o Grande",[9] teve de ser feita no escuro, porque houve uma queda de energia perto do começo da apresentação. De repente, fomos transportados de volta aos dias de Basílio, enquanto Gribomont lia seu ensaio com a ajuda de uma vela! Depois, houve o brilhante estudo apresentado por John Rist sobre a influência do neoplatonismo em Basílio, que se tornou numa obra de quase 100 páginas quando impresso.[10]

Um ensaio apresentado por um famoso patrologista alemão, eu também o recordo como notável tanto em apresentação como em conteúdo: o

---

8 Ver minha obra *The Spirit of God: The Exegesis of 1 and 2 Corinthians in the Pneumatomachian Controversy of the Forth Century* (Leiden: E. J. Brill, 1994).
9 *Basil of Caesarea: Christian, Humanist, Ascetic: A Sixteen-Hundredth Anniversary Symposium*, ed. Paul Jonathan Fedwick (Toronto: Pontifical Institute of Medieval Studies, 1981), 1: 21-48.
10 "Basil's 'Neoplatonism': Its Background and Nature", em ibid., 1: 137-220.

estudo de Reinhart Staats sobre as razões para a aceitação da glorificação basiliana do Espírito no Concílio de Constantinopla, na afirmação confessional que conhecemos como Credo Niceno. Como um erudito principiante, fui hipnotizado pela habilidade e o poder de seu argumento e apresentação. De todos os ensaios apresentados na conferência, este é provavelmente o que eu lembro mais até hoje. Staats argumentou que um grupo de monges cuja posição teológica era semelhante à de Macarius-Simeon cumpriu um papel importante no concílio. Macarius-Simeon ensinava que o poder do mal na vida humana é tal que o único recurso capaz de vencê-lo é a habitação do Espírito Santo. O foco experiencial destes monges foi, Staats afirmou, e eu concordei, um fator-chave na formulação do artigo sobre o Espírito Santo no Concílio de Constantinopla.[11]

Um último ensaio memorável foi apresentado pelo decano de estudos patrísticos do século XX, Jaroslav Pelikan (1923-2006).[12] Eu havia lido muito das obras de Pelikan sobre os Pais, incluindo sua excelente *A Tradição Cristã: Uma História do Desenvolvimento da Doutrina* (1971-1989), em cinco volumes. Destes, o primeiro volume, que aborda os Pais, é a melhor introdução ao pensamento patrístico.[13] A palestra de Pelikan foi uma preleção excelente sobre o próprio assunto de minha tese: "O 'Senso Espiritual' da Escritura: A Base Exegética para a Doutrina de Basílio sobre o Espírito Santo"[14] e contribuiu para orientar-me em certos aspectos da maneira como eu abordaria o assunto.

Meus estudos de doutorado sobre os Pais me ensinaram vários princípios-chave de estudo no que diz respeito à patrística. Primeiramente, não há substituto para a leitura diligente das fontes primárias e, se possível, nas línguas originais. Em segundo, a interação com erudição patrística é vital, e isso

---

11 O ensaio foi depois impresso separadamente dos outros ensaios do simpósio como "Die Basilianische Verherrlichung des Heiligen Geists auf dem Konzil zu Konstantinopel 381. Ein Beitrag zur Ursprung der Formel 'Kerygma und Dogma'", *Kerygma und Dogma* 25 (1979): 232-53.
12 Quanto a uma excelente introdução à vida e ao pensamento de Pelikan, ver Valerie Hotchkiss e Patrick Henry, eds., *Orthodoxy and Western Culture: A Collection of Essays Honoring Jaroslav Pelikan on His Eightieth Birthday* (Crestwood, NY: St Vladimir's Seminary Press, 2005), que contém reflexões sobre sua vida escritas por ele mesmo, bem como uma bibliografia de seus escritos.
13 Quanto às minhas reflexões, tanto positivas como críticas, sobre este excelente volume, ver Apêndice 2.
14 Fedwick, *Basil of Caesarea*, 1:337-60.

exige certo número de idiomas europeus, especialmente alemão e francês e, em grau menor, italiano e espanhol. Por último, precisa haver leituras amplas na história do mundo antigo. Embora a igreja antiga se considerasse separada do mundo, ignorar a sociedade mais ampla e contexto político dos Pais é um erro fundamental. Como nós, eles não podiam escapar de seu tempo, não importando quão arduamente tentaram rejeitar o mundo como mártires ou confessores ou renunciá-lo como monges.

UM AMOR VITALÍCIO

Ao completar meus estudos de doutorado, assumi minha primeira posição como docente, no Seminário Batista Central, em Toronto, e os Pais não mais encheram todo o meu horizonte. Como o único professor de história eclesiástica no corpo docente, esperava-se que eu ensinasse sobre todo o escopo da história do cristianismo, e, preparar aulas sobre outras áreas de história eclesiástica, tomava grande quantidade do meu tempo. No entanto, visto que uma pessoa nunca esquece a primeira vez em que ela foi impactada pelo amor, eu também nunca esqueci meu amor pelos Pais. Repetidas vezes, nestes 28 anos de docência, tenho retornado a eles para aprender teologia, obter refrigério espiritual e pensar sobre o que significa ser um cristão. Eles têm sido realmente um amor vitalício.

APÊNDICE 1

LENDO OS PAIS

Um Guia para Iniciantes

Onde alguém começa a ler os Pais? Bem, primeiramente, gostaria de começar com duas importantes fontes secundárias: Robert Louis Wilken, *The Sipirt of the Early Christian Thought: Seeking the Face of God* (Yale University Press, 2003), e Henry Chadwick, *The Early Church* (Penguin, 1993). Juntas, estas duas obras proverão uma orientação excelente em termos da história da era patrística (Chadwick) e a espiritualidade dos Pais (Wilken). Se você se sente bastante inclinado, a obra de Jaroslav Pelikan *The Christian Tradition: A History of Development of Doctrine*, vol. 1, *The Emergence of Catholic Tradition (100-600)* (Universtity of Chicago Press, 1971) é a melhor introdução ao pensamento dos Pais. Embora não seja um livro fácil, é uma joia preciosa.

Quanto a uma boa visão geral do período, veja as relevantes páginas em Tim Dowley, ed., *Introduction to the History of Christianity* (Fortress, 1995). E, quanto aos principais líderes, veja as biografias em John D. Woodbridge, ed., *Great Leaders of the Christian Church* (Mood Press, 1988). Eu também publiquei *Defence of the Truth: Contending for the Truth Yesterday and Today* (Evangelical Press, 2004), que trata dos desafios teológicos enfrentados pela igreja antiga.

É claro que você não deve evitar entrar diretamente na leitura dos Pais. Qualquer conselho neste aspecto, está propenso a ser eclético, mas eu gostaria de recomendar que comece com as *Confissões*, de Agostinho, a obra-prima da piedade patrística. Em seguida, eu leria, não surpreendentemente, *Sobre o Espírito Santo*, de Basílio de Cesareia, que, como vimos, é uma combinação magistral de piedade e teologia do século IV. A *Epístola a Diogneto*, do século II, é uma excelente porta de entrada à apologética cristã primitiva, bem como as *Odes de Salomão*, uma joia de adoração ignorada, também do século II. Em anos recentes, tenho desfrutado de um novo interesse pela tradição latina e aqui recomendo a *Carta a Donato*, de Cipriano, e *Sobre a Trindade*, livro 1, de Hilário, que narra a história de sua conversão. Na era patrística, muitos foram impactados por *A Vida de Antônio*, de Atanásio. Pessoalmente, acho esta obra um tanto desencorajadora, embora seja uma janela fascinante para o pensamento monástico primitivo. Prefiro muito mais o caloroso relato de Gregório de Nissa sobra a sua irmã, *A Vida de Macrina*. Por fim, a *Confissão*, de Patrício, é uma leitura obrigatória pelas razões apresentadas no capítulo 7.

APÊNDICE 2

REFLEXÕES SOBRE JAROSLAV PELIKAN

O Emergir da Tradição Católica (100-600)

Escrever sobre a história tem sido um bem comparado com a construção de um edifício. Para se erguer um edifício bem construído, são necessários pedreiros e operários habilitados nos detalhes da construção, bem como arquitetos que proveem as plantas estruturais e a orientação geral para o projeto. De modo semelhante, no escrever sobre a história, precisamos tanto da extração das fontes primárias como da obra detalhada de perguntar o que este acontecimento ou texto significa, bem como a visão geral de como uma multidão de textos e acontecimentos se harmonizam. E, assim como é raro achar um indivíduo hoje que faz ambas as tarefas no processo de edificar – a construção do edifício e a elaboração das plantas arquitetônicas – assim também é raro achar historiadores que são excelentes em ambas as áreas. Jaroslav Pelikan é sem dúvida uma dessas raridades.

Pelikan, é claro, tem familiaridade tanto com os detalhes da erudição patrística – por exemplo, a história crítica das cartas de Inácio de Antioquia ou o uso das Escrituras na controvérsia pneumatomaquiana no século IV – quanto com a abrangência geral da doutrina em seu período formativo – por exemplo, o desenvolvimento da cristologia. Sua perspectiva é marcada tanto por erudição detalhada e rigorosa como por uma compreensão categórica da interconexão e das principais características da doutrina cristã. E tudo isto é executado enquanto ele é "profundamente convencido do significado duradouro da realização patrística".¹ Sem dúvida, Pelikan concordaria com Adolf von Harnack – a quem Pelikan chamou de o "sumo sacerdote da *Wissenschaft*"² – em que "o período mais importante de todos [da história da igreja] é o da igreja primitiva – nele estão as normas de medida de todo o resto... Porque as questões decisivas na história da igreja surgiram neste primeiro período; portanto, o historiador cristão precisa familiarizar-se com este período, acima dos demais".³ Não somente Pelikan está em concordância com este ponto de vista de Harnack, mas também sua obra, em cinco volumes, sobre a história da doutrina cristã foi escrita em resposta consciente a *Lehrbuch der Dogmengeschichte* (3 vols., 1886-1889), de Harnack, uma obra que Pelikan diz foi "substituída, mas nunca sobrepujada, ... a única interpretação da doutrina cristã primitiva com a qual todo erudito nesta área tem de contender".⁴

Um dos grandes temas da obra de Harnack é que o profundo interesse patrístico no dogma era realmente uma imposição estranha dos padrões de pensamento greco-romano ao cristianismo, o que ele chama de "helenização".⁵ Pelikan respondeu à acusação de Harnack por enfatizar que a helenização não era tão abrangente como Harnack acreditava. Pelikan citou a realização teológica de Clemente de Alexandria e Orígenes, ambos têm sido considerados "helenizadores consistentes", mas cujas categorias filosóficas de pensamento, sob exame

---

1 Henry Chadwick, "Book Notes: Pelikan, Jaroslav: *The Christian Tradition: A History of Development of Christian Doctrine*. Vol. I: *The Emergence of Catholic Tradition*", *The Journal of Religion* 54 (1974): 315.

2 *The Melody of Theology: A Philosophical Dictionary* (Cambridge, MA: Harvard University Press, 1988), 111. Quanto a uma visão geral da vida e do pensamento de Harnack, ver William H. C. Frend, *From Dogma to History: How Our Understanding of the Early Church Developed* (London: SCM, 2003), 9-31.

3 Carta para Karl Holl, citada por B. Drewery, "History and Doctrine: Heresy and Schism", *Journal of Ecclesiastical History* 23 (1972): 251-52.

4 *The Christian Tradition: A History of Development of Doctrine*, vol. 1, *The Emergence of the Catholic Tradition (100-600)* (Chicago: University of Chicago, 1971), 359.

5 Ver ibid., 45, 55.

minucioso, são vistas como profundamente modificadas à luz da Escritura.[6] No entanto, ele também mostrou com base na obra de dois autores diferentes, como Tertuliano e Gregório de Nissa, que o pensamento greco-romano era muito difícil de ser evitado pelos primeiros cristãos, especialmente no que diz respeito à natureza da alma e a impassibilidade de Deus.[7] Em última análise, foram os vários sistemas hereges contestados pelos Pais que revelaram a mais profunda impressão da helenização. Em condená-los, a igreja estava procurando proteger a doutrina cristã da invasão do pensamento secular.[8]

Além disso, o que é frequentemente considerado o símbolo supremo de helenização é o vocábulo *homoousios*, usado, como sabemos muito bem, pelo Concílio de Niceia, em 325, para descrever a relação ontológica entre o Pai e o Filho na Divindade. No entanto, este uso do vocábulo traça realmente uma linha distintiva entre a fé cristã e a perspectiva filosófica da cultura pagã circunvizinha daqueles dias, ou seja, o neoplatonismo. Embora o platonismo do séculos III e IV postulasse "uma hierarquia descendente de primeiros princípios desiguais",[9] o termo *homoousios* afirmava inequivocamente a plena deidade do Filho e não deixava nenhum espaço para uma visão subordinacionista da Divindade. Neste respeito, o resultado final da discussão sobre a Trindade no século IV representou uma não helenização do dogma e um dos mais profundos desafios ao pensamento greco-romano no mundo antigo.

Pessoalmente, eu me acho em pleno acordo com a resposta de Pelikan ao que foi uma abordagem principal de muitos estudantes do pensamento patrístico do final do século XIX e do século XX.[10] No entanto, há lugar para

---

6 Ibid., 46-55.

7 Ibid., 49-55.

8 Ibid., 55.

9 R. M. Price, "'Hellenization' and Logos Doctrine in Justin Martyr", *Vigiliae Christianae* 42 (1988): 21.

10 Vale ressaltar que um aspecto-chave do debate corrente sobre a abertura de Deus tem a ver com a acusação feita pelos proponentes do Teísmo Aberto, de que o teísmo clássico tem sido profundamente distorcido pelo pensamento helenista. Ver, por exemplo, John Sanders, "Historical Considerations", em *The Oppeness of God: A Biblical Challenge to the Traditional Understanding of God*, ed. Clark Pinnock (Downers Grove, IL: InterVarsity, 1994), 59-60. Em termos mais gerais, Brian D. McLaren tem afirmado recentemente que o cristianismo ocidental está pregando um evangelho que é moldado mais pelo que ele chama de "a narrativa greco-romana" do que pelas Escrituras (*A New Kind of Christianity: Ten Questions Thar Are Transforming Faith* [New York: HarperCollins, 2010], 33-45). Isto é apenas uma variante da velha acusação de helenização levantada por teólogos liberais como Harnack. No melhor, tal variante é mal informada e, no pior, irresponsável.

perguntarmos se a próprio conceito de helenização do cristianismo como enunciado por Harnack, um conceito que exige uma demarcação nítida e rígida entre judaísmo e helenismo, é historicamente exata.[11] Ou é uma explicação, antes de tudo, motivada ideologicamente? Será que a verdade não é que houve uma ampla interpretação do pensamento grego e judeu antes da era dos Pais, como vemos, por exemplo, nas obras de homens como Aristóbulo de Paneas, Filo e Josefo? Mesmo no Novo Testamento, precisamos observar a facilidade com que o apóstolo Paulo citou fontes pagãs no seu sermão no Areópago e em Tito 1. São as próprias fontes da tradição cristã culpadas de helenização? Ou será que a interação de pensamento no mundo do Novo Testamento e nos Pais é, de algum modo, mais sutil do que o permite a ideia de helenização? O que R. M. Price sugere com referência aos autores antinicenos pode ser correto como um princípio geral em relação a todo este debate sobre "helenização" e pensamento cristão primitivo: "Grandes panoramas de helenização... são uma distração irrelevante que distorcem o quadro e suscitam as perguntas erradas. Precisamos traçar um mapa mais elaborado do mundo intelectual do período pré-niceno, com mais atenção às gradações sutis e comuns do terreno".[12] A resposta de Pelikan à tese de helenização de Harnack poderia ter sido fortalecida se ele tivesse começado seu relato com o Novo Testamento, mostrando com isso a forte ligação entre o pensamento do Novo Testamento e o que veio em seguido.[13] Devido à ênfase de Pelikan sobre a importância da exegese bíblica para o desenvolvimento da doutrina na era patrística, esta omissão é estranha.

Igualmente estranha e admirável é a falta de discussão da perspectiva trinitariana de Agostinho. O trinitarianismo sobremodo influente de Agostinho é resumido e descartado[14] em uma sentença, embora Pelikan ti-

---

11 Ver Price, "Hellenization", 18-23.

12 Ibid., 22.

13 Robert L. Wilken, "*The Christian Tradition: A History of the Development of Doctrine. Vol. I: The Emergence of the Catholic Tradition (100-600)*", *Saturday Review*, August 7, 1971, 26.

14 *Emergence of the Catholic Tradition*, 224. Esta omissão é também observada por Chadwick, "*The Christian Tradition*", 316; Ernest L. Fortin, "Book Reviews: *The Christian Tradition: A History of the Development of Doctrine 1: The Emergence of the Catholic Tradition (100-600)*. By Jaroslav Pelikan", Theological Studies 33 (1972): 331.

vesse consciência de sua importância no cristianismo ocidental.[15] Em outras passagens, Pelikan pôde realmente afirmar que a obra *Sobre a Trindade*, de Agostinho, é para o latim ocidental "um resumo clássico do ensino central do cristianismo" e pode ser reconhecida, acertadamente, como a "produção teológica e intelectual mais brilhante" de Agostinho.[16] Podemos perguntar se há mais em jogo do que apenas discernimento. Por exemplo, vale a pena ressaltar que a abordagem de Pelikan sobre a defesa de Agostinho da soberania da graça na salvação de pecadores foi inequivocamente crítica do teólogo norte-africano.[17] Isto é curioso à luz da tentativa clara de Pelikan de apresentar os vários hereges da era patrística – homens como Marcião e Ário[18] – em uma luz tão simpática quanto possível.[19] É ainda mais curioso quando, depois, Pelikan expressou sua opinião de que Agostinho é, "plausivelmente, a única pessoa de toda a antiguidade tardia... que ainda podemos ler com empatia e entendimento".[20]

A omissão do trinitarianismo de Agostinho é uma das várias lacunas observáveis. Outra lacuna é um exame do Credo dos Apóstolos, que é, sem dúvida, a mais importante afirmação confessional do Ocidente. Há poucas menções deste credo, mas sem qualquer discussão.[21] Os chamados pais apostólicos também recebem menção escassa, embora sejam eles importantes entre a era dos apóstolos e o cristianismo do século II.[22] Pode-se pensar na ligação de Irineu de Lion com o apóstolo João via Policarpo de Esmirna.

---

15 *Emergence of the Catholic Tradition*, 67, 197, 350-51.
16 *Melody of Theology*, 16.
17 Ver, por exemplo, *Emergence of the Catholic Tradition*, 313, 321, 325.
18 Por exemplo, Pelikan disse que o arianismo "era mais consciente das nuanças do problema trinitariano do que os seus críticos eram" e que ele "ajudou a manter a doutrina na igreja tanto honesta como evangélica" (*Emergence of the Catholic Tradition*, 200).
19 I. John Hesselink, "Book Reviews: Jaroslav Pelikan. *Emergence of the Catholic Tradition (100-600)*", *Christian Scholar Review* 2 (1973): 375.
20 *Melody of Theology*, 17-18.
21 *Emergence of the Catholic Tradition*, 117, 150-51. Quanto a esta omissão, ver Robert L. Calhoun, "A New History of Christian Doctrine: A Review Article", *Journal of the American Academy of Religion* 40 (1972): 503.
22 Ver Carl J. Peter, "The Beginnings of Christian Doctrine", *Interpretation* 26 (1972): 224-25.

Estas omissões são preenchidas com algumas inclusões estranhas. Por exemplo, Pelikan comenta que entre os defensores do Credo Niceno, Atanásio merece, obviamente, "a posição mais importante", mas, ele prossegue, dois outros teólogos ocidentais merecem ser classificados ao lado dele, ou seja, "Anfilóquio [de Icônio] e, especialmente, Dídimo".[23] Certamente é curioso ver a menção de Anfilóquio, o qual, de uma perspectiva estritamente teológica, é o menor dos pais capadócios e cujos conjunto de escritos que chegaram até nós é tão pequeno.

No entanto, meu maior problema com a obra de Pelikan está relacionado à sua metodologia. Enquanto é encorajador ver que ele inclui neste estudo não meramente obras teológicas formais, mas também materiais extraídos da adoração e da liturgia da igreja, sua tentativa de abordar a teologia da igreja separada da matriz social e pessoal em que ela tomou forma é profundamente lamentável. Pelikan afirma, no começo de seu estudo, seu desejo de "ouvir o coro mais do que os solistas".[24] Todavia, como ele chegou a admitir no quinto volume desta história da doutrina cristã, há "poucos solistas... cuja vida e ensino os tornou... grandes temas para o coro, e não primariamente solistas por si mesmos".[25] Dos pais da igreja antiga, ele cita dois: Orígenes e Agostinho. Se este é o caso, então a vida destes teólogos que produziram os temas para o coro têm de ser consideradas.

Como R. F. Evans enfatiza em um de seus livros sobre Pelágio:

> A comparação de sistemas de pensamento envolve uma abstração do curso atual de acontecimentos. Nas controvérsias teológicas, não são, em primeira instância, sistemas de pensamento que "confrontam" um ao outro, e sim homens – homens que falam e escrevem em ocasiões concretas, homens cujo pensamento podem estar em mudança e condicionado pelos próprios acontecimentos da controvérsia da qual participam.[26]

---

23 *Emergence of the Catholic Tradition*, 203.
24 Ibid., 122.
25 *The Christian Tradition: A History of the Development of Doctrine*, vol. 5, *Christian Doctrine and Modern Culture (since 1700)* (Chicago: University of Chicago Press, 1989), 7.
26 Citado por Drewery, "History and Doctrine: Heresy and Schism", 252.

Apêndice 2:
Reflexões sobre Jaroslav Pelikan, O Emergir da Tradição Católica (100-600)

Além disso, quando lembramos que os escritos da igreja primitiva eram obras pessoais, dirigidas a indivíduos específicos ou a grupos específicos, envolvidos em redes de relacionamentos pessoais, a consideração de Pelikan quanto à doutrina destas obras separada da matriz pessoal deles é, inevitavelmente, problemática.

Considere, por exemplo, *Sobre o Espírito Santo* (375), de Basílio de Cesareia, que foi o assunto do capítulo 6 deste livro. Esta obra resultou da controvérsia de Basílio com Eustácio de Sebaste, um de seus amigos íntimos, realmente um homem que fora o mentor de Basílio quando este se tornou cristão. Como vimos, o interesse de Eustácio no Espírito parece ter-se focalizado na obra do Espírito e não na sua pessoa. Para ele, o Espírito Santo era primariamente um dom divino na pessoa cheia do Espírito, Aquele que produzia santidade. Durante vários anos, Basil procurou ganhar Eustácio para uma confissão sobre a divindade do Espírito. Apesar de Eustácio assinar uma declaração ortodoxa no verão de 373, por fim ele rompeu com Basílio e denunciou o bispo de Cesareia como culpado de modalismo. Como vimos, esta separação de amigos levou Basílio a escrever um dos livros mais importantes de todo o período patrístico, *Sobre o Espírito Santo*. A forma precisa da pneumatologia de Basílio, expressa neste livro, pode ser genuinamente apreciada sem alguma conhecimento do contexto que o produziu?

Ou considere as obras antipelagianas de Agostinho.[27] Seus primeiros escritos contra o pelagianismo são basicamente uma troca de cartas com o conde Flávio Marcelino, um oficial imperial estabelecido em Cartago. Marcelino submeteu uma lista de perguntas a Agostinho, e, em resposta, Agostinho escreveu *Sobre os Méritos e Perdão de Pecados e Sobre o Batismo de Crianças* (412). Marcelino ficou confuso quanto a um dos pontos de Agostinho nesta obra e pediu mais explicações, que Agostinho deu em *Sobre o Espírito e a Letra* (412). Logo depois disto Agostinho começou a escrever *Sobre a Natureza e a Graça* (413-415). Foi uma resposta a *Sobre a Natureza*, de Pelágio, e foi es-

---

27 Este parágrafo se baseia em William S. Babcock, "Christian Culture and Christian Tradition in Roman North Africa", em *Schools of Thought in the Christian Tradition*, ed. Patrick Henry (Philadelphia: Fortress, 1984), 34.

crita especificamente para os dois indivíduos que enviaram a Agostinho uma cópia da obra de Pelágio. Perto do fim da controvérsia pelagiana, nos anos 420, Agostinho escreveu os tratados *Sobre a Graça e o Livre Arbítrio* e *Sobre Reprovação e Graça* (426-27) como resultado da correspondência de Agostinho com Valentino, o abade do monastério norte-africano de Hadrumetum, cujos monges haviam levantado questões sobre o ensino de Agostinho.

Claramente, estas obras escritas por Basílio e por Agostinho não pertencem à categoria de correspondência pessoal e privativa. Elas deveriam ter uma circulação mais ampla, além de seus recipientes iniciais. Todavia, elas mostram realmente como os escritos patrísticos e a doutrina patrística estavam embebidos em contextos pessoais. E, para que essa doutrina seja entendida convenientemente, ela tem de ser vista na matriz da qual surgiu. Como Michael Blecker afirmou corretamente: "Fazer teologia sem história é estudar flores cortadas e não plantas vivas".

FIEL MINISTÉRIO

O Ministério Fiel tem como propósito servir a Deus através do serviço ao povo de Deus, a Igreja.

Em nosso site, na internet, disponibilizamos centenas de recursos gratuitos, como vídeos de pregações e conferências, artigos, *e-books*, livros em áudio, blog e muito mais.

Oferecemos ao nosso leitor materiais que, cremos, serão de grande proveito para sua edificação, instrução e crescimento espiritual.

Assine também nosso informativo e faça parte da comunidade Fiel. Através do informativo, você terá acesso a vários materiais gratuitos e promoções especiais exclusivos para quem faz parte de nossa comunidade.

Visite nosso website

www.ministeriofiel.com.br

e faça parte da comunidade Fiel

Esta obra foi composta em Arno Pro Regular 11, e impressa
na Promove Artes Gráficas sobre o papel Pólen Soft 70g/m²,
para Editora Fiel, em Março de 2021